The Daoist Immortals

The Daoist Immortals

A Story in Simplified Chinese and Pinyin,
1500 Word Vocabulary Level

Book 15 of the *Journey to the West* Series

Written by Jeff Pepper
Chinese Translation by Xiao Hui Wang

Based on chapters 44 through 46 of the original
Chinese novel *Journey to the West* by Wu Cheng'en

IMAGIN8
PRESS

Copyright © 2021 by Imagin8 Press LLC, all rights reserved.

Published in the United States by Imagin8 Press LLC, Verona, Pennsylvania, US. For information, contact us via email at info@imagin8press.com, or visit www.imagin8press.com.

Our books may be purchased directly in quantity at a reduced price, contact us for details.

Imagin8 Press, the Imagin8 logo and the sail image are all trademarks of Imagin8 Press LLC.

Written by Jeff Pepper
Chinese translation by Xiao Hui Wang
Cover design by Katelyn Pepper and Jeff Pepper
Book design by Jeff Pepper
Artwork by Next Mars Media, Luoyang, China
Audiobook narration by Junyou Chen

Based on the original 14th century Chinese novel by Wu Cheng'en, and the unabridged translation by Anthony C. Yu.

ISBN: 978- 1952601521
Version 05

Acknowledgements

We are deeply indebted to the late Anthony C. Yu for his incredible four-volume translation, *The Journey to the West* (1983, revised 2012, University of Chicago Press). Many thanks to the team at Next Mars Media for their terrific illustrations, and Junyou Chen for narrating the audiobook. And thanks to Jim McClanahan, author of the *Journey to the West Research* blog, for providing us with a crisp definition of 通关文书 (tōngguān wénshū), a travel rescript that's a key to the story in this book.

Audiobook

A complete Chinese language audio version of this book is available free of charge. To access it, go to YouTube.com and search for the Imagin8 Press channel. There you will find free audiobooks for this and all the other books in this series.

You can also visit our website, www.imagin8press.com, to find a direct link to the YouTube audiobook, as well as information about our other books.

Preface

Here's a summary of the events of the first 14 books in the Journey to the West *series. The numbers in brackets indicate in which book in the series the events occur.*

Thousands of years ago, in a magical version of ancient China, a small stone monkey is born on Flower Fruit Mountain. Hatched from a stone egg, he spends his early years playing with other monkeys. They follow a stream to its source and discover a secret room behind a waterfall. This becomes their home, and the stone monkey becomes their king. After several years the stone monkey begins to worry about the impermanence of life. One of his companions tells him that certain great sages are exempt from the wheel of life and death. The monkey goes in search of these great sages, meets one and studies with him, and receives the name Sun Wukong. He develops remarkable magical powers, and when he returns to Flower Fruit Mountain he uses these powers to save his troop of monkeys from a ravenous monster. *[Book 1]*

With his powers and his confidence increasing, Sun Wukong manages to offend the underwater Dragon King, the Dragon King's mother, all ten Kings of the Underworld, and the great Jade Emperor himself. Finally, goaded by a couple of troublemaking demons, he goes too far, calling himself the Great Sage Equal to Heaven and sets events in motion that cause him some serious trouble. *[Book 2]*

Trying to keep Sun Wukong out of trouble, the Jade Emperor gives him a job in heaven taking care of his Garden of Immortal Peaches, but the monkey cannot stop himself from eating all the peaches. He impersonates a great Immortal and crashes a party in Heaven, stealing the guests' food and drink and barely escaping to his loyal troop of monkeys back on

Earth. In the end he battles an entire army of Immortals and men, and discovers that even calling himself the Great Sage Equal to Heaven does not make him equal to everyone in Heaven. As punishment, the Buddha himself imprisons him under a mountain. *[Book 3]*

Five hundred years later, the Buddha decides it is time to bring his wisdom to China, and he needs someone to lead the journey. A young couple undergo a terrible ordeal around the time of the birth of their child Xuanzang. The boy grows up as an orphan but at age eighteen he learns his true identity, avenges the death of his father and is reunited with his mother. Xuanzang will later fulfill the Buddha's wish and lead the journey to the west. *[Book 4]*

Another storyline starts innocently enough, with two good friends chatting as they walk home after eating and drinking at a local inn. One of the men, a fisherman, tells his friend about a fortuneteller who advises him on where to find fish. This seemingly harmless conversation between two minor characters triggers a series of events that eventually cost the life of a supposedly immortal being, and cause the great Tang Emperor himself to be dragged down to the underworld. He is released by the Ten Kings of the Underworld, but is trapped in hell and only escapes with the help of a deceased courtier. *[Book 5]*

Barely making it back to the land of the living, the Emperor selects the young monk Xuanzang to undertake the journey, after being strongly influenced by the great bodhisattva Guanyin. The young monk sets out on his journey. After many difficulties his path crosses that of Sun Wukong, and the monk releases him from his prison under a mountain. Sun Wukong becomes the monk's first disciple. *[Book 6]*

As their journey gets underway, they encounter a mysterious

river-dwelling dragon, then run into serious trouble while staying in the temple of a 270 year old abbot. Their troubles deepen when they meet the abbot's friend, a terrifying black bear monster, and Sun Wukong must defend his master. *[Book 7]*

The monk, now called Tangseng, acquires two more disciples. The first is the pig-man Zhu Bajie, the embodiment of stupidity, laziness, lust and greed. In his previous life, Zhu was the Marshal of the Heavenly Reeds, responsible for the Jade Emperor's entire navy and 80,000 sailors. Unable to control his appetites, he got drunk at a festival and attempted to seduce the Goddess of the Moon. The Jade Emperor banished him to earth, but as he plunged from heaven to earth he ended up in the womb of a sow and was reborn as a man-eating pig monster. He was married to a farmer's daughter, but fights with Sun Wukong and ends up joining and becoming the monk's second disciple. *[Book 8]*

Sha Wujing was once the Curtain Raising Captain but was banished from heaven by the Yellow Emperor for breaking an extremely valuable cup during a drunken visit to the Peach Festival. The travelers meet Sha and he joins them as Tangseng's third and final disciple. The four pilgrims arrive at a beautiful home seeking a simple vegetarian meal and a place to stay for the night. What they encounter instead is a lovely and wealthy widow and her three even more lovely daughters. This meeting is, of course, much more than it appears to be, and it turns into a test of commitment and virtue for all of the pilgrims, especially for the lazy and lustful pig-man Zhu Bajie. *[Book 9]*

Heaven continues to put more obstacles in their path. They arrive at a secluded mountain monastery which turns out to be the home of a powerful master Zhenyuan and an ancient and magical ginseng tree. As usual, the travelers' search for a nice hot meal and a place to sleep quickly turns into a disaster. Zhenyuan has gone away for a few days and has left his two youngest disciples in charge. They welcome the travelers, but soon there are misunderstandings, arguments, battles in the sky, and before long the travelers are facing a powerful and extremely angry adversary, as well as mysterious magic fruits and a large frying pan full of hot oil. *[Book 10]*

Next, Tangseng and his band of disciples come upon a strange pagoda in a mountain forest. Inside they discover the fearsome Yellow Robed Monster who is living a quiet life with his wife and their two children. Unfortunately the monster has a bad habit of ambushing and eating travelers. The travelers find themselves drawn into a story of timeless love and complex lies as they battle for survival against the monster and his allies. *[Book 11]*

The travelers arrive at Level Top Mountain and encounter their most powerful adversaries yet: Great King Golden Horn and his younger brother Great King Silver Horn. These two monsters, assisted by their elderly mother and hundreds of well-armed demons, attempt to capture and liquefy Sun Wukong, and eat the Tang monk and his other disciples. Led by Sun Wukong, the travelers desperately battle their foes through a combination of trickery, deception and magic, and barely survive the encounter. *[Book 12]*

The monk and his disciples resume their journey. They stop to rest at a mountain monastery in Black Rooster Kingdom, and Tangseng is visited in a dream by someone claiming to be the ghost of a murdered king. The ghost claims that the king sitting on the throne is really an evil demon. Is he telling the truth or is he actually a demon in disguise? Sun Wukong offers to go to the king's palace and sort things out with his iron rod.

But things do not go as planned. *[Book 13]*

While traveling the Silk Road, Tangseng and his three disciples encounter a young boy hanging upside down from a tree. They rescue him only to discover that he is really Red Boy, a powerful and malevolent demon and, it turns out, Sun Wukong's nephew. Ignoring this family relationship, the demon kidnaps Tangseng and plans to eat him. The three disciples battle the demon but soon discover that he can produce deadly fire and smoke which nearly kills Sun Wukong. The two remaining disciples struggle to save Sun Wukong and Tangseng, enlisting the aid of several supernatural beings including Guanyin, the Goddess of Mercy. At the end, they learn Red Boy's true nature. *[Book 14]*

Leaving Red Boy with the bodhisattva Guanyin, the travelers continue their journey west...

Author's Note

In this series we have worked hard to remain true to the story line of the original *Journey to the West*, but we have to confess to making a couple of changes in this book.

First, we have skipped the events of Chapter 43, which tells a short and self-contained story that is very similar to events in several of our previous books. Here, briefly is the story: the four travelers arrive at Black River. While trying to cross the river they meet a boatman who it turns out, is actually an evil demon who captures the monk Tangseng and the pig-man Zhu Bajie. The two remaining disciples, Sun Wukong and Sha Wujing, battle the demon and discover that he is actually the Dragon King of the Jing River who had been wrongfully killed, as you may remember from *The Emperor in Hell*. The travelers eventually defeat the demon with the assistance of the demon's uncle, Moang. Chastened, the Dragon King opens up a pathway through the river for the four travelers to cross, and he then returns to heaven with Moang.

Also, we have simplified some of the events that occur near the end of the book. In the original, the three Daoist Immortals and the four travelers are pitted against each other in seven different competitions. We have condensed this down to just four competitions.

Interested in reading the story in more detail? The original *Journey to the West* is a huge work and contains far more detail (and uses far more vocabulary!) than what you will find in our books. The full original Chinese text is available free online at gutenberg.org/cache/epub/23962/pg23962.html. And we highly recommend the unabridged four-volume English translation by Dr. Anthony C. Yu, which runs about 2,000 pages and can be purchased on most online bookstores.

The Daoist Immortals

道教神仙

Dì 44 Zhāng

Tángsēng hé tā de sān gè túdì jìxù tāmen de xīxíng.
Tāmen yígè dōngtiān dōu zài lěngfēng hé shēnxuě
zhōng xíngzǒu. Tāmen yǐjīng búzài Zhōngguó le.
Jīngguò jǐ nián Sīchóu Zhī Lù de lǚtú, tāmen lái dào le
guójiā xī miàn biānjiè wài de huāngyě xiāngcūn.

Rìzi yì tiāntiān guòqù, hěn lěng de dōngtiān biàn chéng
le zǎochūn. Bīngxuě huà le, héshuǐ liú dé hěn kuài,
kōngqì lǐ dōu shì niǎo'er de gēshēng, shùmù yòu biàn
lù le. Yǒu shī shuō,

> Xīnnián zhī shén yǐ lái dào,
> Sēnlín zhī shén qù sànbù,
> Nuǎn fēng dài lái le huāxiāng,
> Yún kāi jiàn dào le tàiyáng,
> Yǔ dài lái le xīn shēngmìng,
> Wànwù chūxiàn chūn zhī měi.

第 44 章¹

唐僧和他的三个徒弟继续他们的西行。他们一个冬天都在冷风和深雪中行走。他们已经不在中国了。经过几年丝绸之路的旅途，他们来到了国家西面边界外的荒野²乡村。

日子一天天过去，很冷的冬天变成了早春。冰雪化了，河水流得很快，空气里都是鸟儿的歌声，树木又变绿了。有诗说，

> 新年之神已来到，
>
> 森林之神去散步，
>
> 暖风带来了花香，
>
> 云开见到了太阳，
>
> 雨带来了新生命，
>
> 万物出现春之美。

---

¹ 章　　　　zhāng - chapter
² 荒野　　　huāngyě – wild

Yóurénmen zhèngzài xiàng xī zǒu qù, tūrán tīng dào xiàng yǒu yí wàn gè rén de shēngyīn nàyàng xiǎng de yígè shēngyīn.

"Nà shì shénme shēngyīn?" Tángsēng wèn, tā shì Táng guó de sēngrén.

"Tīngqǐlái xiàng shì dàdì suì le." Zhū Bājié shuō, tā shì zhū rén, zhōngjiān de túdì.

"Tīngqǐlái xiàng léi shēng," Shā Wújìng shuō, tā shì ānjìng de dà gèzi, zuìxiǎo de túdì.

"Nǐmen shuí dōu búduì," Sūn Wùkōng dà xiào, tā shì hóu wáng, dà túdì. "Děng zài zhèlǐ, wǒ qù kànkan." Tā tiào dào kōngzhōng, yòng tā de jīndǒu yún hěn kuài xiàng qián fēi qù. Tā xiàng xià kàn, kàn dào wù zhōng de yígè dàchéng. Zǐxì kàn, tā fāxiàn wù búshì mófǎ zàochéng de. Zài chéng mén wài, tā kàn dào jǐ bǎi míng fójiào héshang xiǎng yào bǎ yí liàng hěn zhòng de mù chē lā shàng

游人们正在向西走去，突然听到像有一万个人的声音那样响的一个声音。

"那是什么声音？"<u>唐僧</u>问，他是<u>唐</u>国的僧人。

"听起来像是大地碎了。"<u>猪八戒</u>说，他是猪人，中间的徒弟。

"听起来像雷声，"<u>沙悟净</u>说，他是安静的大个子，最小的徒弟。

"你们谁都不对，"<u>孙悟空</u>大笑，他是猴王，大徒弟。"等在这里，我去看看。"他跳到空中，用他的筋斗云很快向前飞去。他向下看，看到雾中的一个大城。仔细[3]看，他发现雾不是魔法造成的。在城门外，他看到几百名佛教和尚想要把一辆很重的木车拉上

---

[3] 仔细　　　zǐxì – careful

yízuò xiǎoshān. Chē lǐ mǎn shì shítou, duì tāmen lái shuō tài zhòng le. Tāmen dōu dàshēng de jiàozhe qǐngqiú púsà bāngzhù tāmen. Zhè jiùshì yóurénmen tīng dào de shēngyīn. Sūn Wùkōng juédìng zǒu jìn kàn kan.

Tā dào le dìshàng, zǒuxiàng héshang. Tāmen hěn shòu, chuānzhe jiù suì bù. Zhè ràng rén chījīng, yīnwèi héshang yìbān dōu chuān bǐjiào hǎo de yīfu. Sūn Wùkōng xiǎng: "Tāmen kěnéng zhèngzài xiǎng yào zào huò xiū zhèlǐ de sìmiào, zhǎobúdào zhèlǐ de gōngrén, suǒyǐ tāmen bìxū zìjǐ zuò zhè gōngzuò."

Ránhòu, tā kàndào liǎng gè niánqīng de dàoshì cóng chéng mén lǐ chūlái. Tāmen chuānzhe piàoliang de yīfu. Tāmen chī dé hěn hǎo, tāmen de liǎn xiàng liǎng gè mǎn yuè yíyàng yòu míngliàng yòu piàoliang. Dāng héshangmen kàndào nà liǎng gè dàoshì shí, tāmen dīxià tóu, gèng nǔlì de bǎ chē lā shàng xiǎoshān. Tāmen kànshàngqù hěn hàipà.

一座小山。车里满[4]是石头，对他们来说太重了。他们都大声地叫着请求菩萨帮助他们。这就是游人们听到的声音。孙悟空决定走近看看。

他到了地上，走向和尚。他们很瘦，穿着旧碎布。这让人吃惊，因为和尚一般都穿比较好的衣服。孙悟空想："他们可能正在想要造或修[5]这里的寺庙，找不到这里的工人，所以他们必须自己做这工作。"

然后，他看到两个年轻的道士[6]从城门里出来。他们穿着漂亮的衣服。他们吃得很好，他们的脸像两个满月一样又明亮又漂亮。当和尚们看到那两个道士时，他们低下头，更努力地把车拉上小山。他们看上去很害怕。

---

[4] 满　　mǎn – full
[5] 修　　xiū – repair
[6] 道士　dàoshì – Daoist monk

"A, shì zhèyàng a," Sūn Wùkōng xiǎng. "Héshangmen hàipà dàoshì. Wǒ tīngshuōguò yígè zūnjìng dàojiào dàn bù zūnjìng fójiào de chéngshì. Zhè yídìng jiùshì zhège dìfāng le. Wǒ bìxū bǎ zhè gàosù shīfu, dàn wǒ xiān xūyào liǎojiě zhèlǐ fāshēng le shénme."

Tā yáo le yíxià tā de shēntǐ, biàn le tā de yàngzi. Xiànzài, tā kànqǐlái xiàng chuānzhe jiù yīfu yóuzǒu de dào sēng. Tā názhe yì zhī mùyú, yòng bàng qiāodǎzhe, chàngzhe dàojiào gē. Tā zǒu dào liǎng gè chuānzhe piàoliang yīfu de dàoshì nàlǐ shuō: "Dàshī, zhè wèi lǎo dàoshì xiàng nǐ wènhǎo."

"Nǐ cóng nǎlǐ lái de?" Dàoshì zhōng de yígè wèn.

"Zhège kělián de túdì piāoyóu hǎi jiǎo, xíngzǒu tiānbiān. Jiù zài jīntiān zǎoshàng, wǒ lái dào le nǐmen měilì de chéngshì. Nǐ néng gàosù wǒ nǎxiē jiēdào yǒu dàoshì de péngyǒu, nǎxiē jiēdào wǒ yīnggāi bì kāi?"

"啊，是这样啊，"孙悟空想。"和尚们害怕道士。我听说过一个尊敬道教但不尊敬佛教的城市。这一定就是这个地方了。我必须把这告诉师父，但我先需要了解这里发生了什么。"

他摇了一下他的身体，变了他的样子。现在，他看起来像穿着旧衣服游走的道僧。他拿着一只木鱼，用棒敲[7]打着，唱着道教歌。他走到两个穿着漂亮衣服的道士那里说："大师，这位老道士向你问好。"

"你从哪里来的？"道士中的一个问。

"这个可怜的徒弟漂游海角，行走天边。就在今天早上，我来到了你们美丽的城市。你能告诉我哪些街道有道士的朋友，哪些街道我应该避开？"

---

7 敲   qiāo – to knock, to strike

"Nǐ wèishénme yào wèn zhège?"

"Wǒ xiǎng yào yìxiē sùshí, dàn wǒ bùxiǎng zhǎo máfan."

"Nà nǐ wèishénme yào zhè shíwù?"

"Zhè shì yígè qíguài de wèntí! Wǒmen líkāi jiā de rén bìxū yìzhí yào shíwù. Wǒmen méiyǒu qián, bùnéng zìjǐ mǎi shíwù."

Dàoshì tīng le zhè dà xiào, shuō: "Wǒ de péngyǒu, nǐ láizì hěn yuǎn de dìfāng, nǐ bù zhīdào wǒmen de chéngshì. Zhè shì Chē Chí Wángguó. Chéng lǐ suǒyǒu de dàchén hé suǒyǒu de rén dōu shì dàoshì de péngyǒu. Tāmen hěn gāoxìng gěi wǒmen shíwù. Jiùshì wǒmen de guówáng yě xǐhuān dào."

"Nǐ shì shuō nǐ de guówáng shì dàoshì ma?"

"Bù, tā duì dàojiào hěn yǒu hǎogǎn. Xǔduō nián qián, zhèlǐ de tiānqì fēicháng bù hǎo. Méiyǒu yǔ. Zhuāngjià sǐ le, tǔdì

"你为什么要问这个？"

"我想要一些素食，但我不想找麻烦。"

"那你为什么要这食物？"

"这是一个奇怪的问题！我们离开家的人必须一直要食物。我们没有钱，不能自己买食物。"

道士听了这大笑，说："我的朋友，你来自很远的地方，你不知道我们的城市。这是车迟王国。城里所有的大臣和所有的人都是道士的朋友。他们很高兴给我们食物。就是我们的国王也喜欢道。"

"你是说你的国王是道士吗？"

"不，他对道教很有好感。许多年前，这里的天气非常不好。没有雨。庄稼[8]死了，土地

---

[8] 庄稼　　zhuāngjià - crops

biàn chéng le kāfēisè, rénmen méiyǒu fàn chī.
Guówáng hé rénmen dōu qídǎo, dàn réngrán méiyǒu
xià yǔ. Ránhòu yǒu yìtiān, dāng wǒmen kànqǐlái dōu
yào è sǐ de shíhòu, sān gè shénxiān lái dào le."

"Zhèxiē shénxiān shì shuí?"

"Dì yī gè jiào Hǔlì Shénxiān, dì èr gè jiào Lùlì Shénxiān,
dì sān gè jiào Yánglì Shénxiān. Tāmen duì dào yǒu hěn
shēn de liǎojiě, tāmen de mólì yě hěn qiángdà. Tāmen
kěyǐ xiàng fān shǒu yíyàng róngyì de mìnglìng tàiyáng,
fēng hé yǔ. Tāmen lái dào hòu bùjiǔ, jiù dài lái le yǔ.
Tǔdì biàn chéng lǜsè, rénmen yǒu hěnduō de dōngxi
chī."

Sūn Wùkōng shuō: "Nǐmen de guówáng zhēn de shì yí
gè yùnqì hěn hǎo de rén. Jiù xiàng gǔrén shuō de
nàyàng: 'Mófǎ gǎndòng le dàchén.' Nǐ juédé wǒ kěyǐ
jiànjian zhè sān gè shénxiān ma?"

变成了咖啡色，人们没有饭吃。国王和人们都祈祷，但仍然没有下雨。然后有一天，当我们看起来都要饿死的时候，三个神仙来到了。"

"这些神仙是谁？"

"第一个叫<u>虎力</u>神仙，第二个叫<u>鹿力</u>神仙，第三个叫<u>羊力</u>神仙。他们对道有很深的了解，他们的魔力也很强大。他们可以像翻手一样容易地命令[9]太阳、风和雨。他们来到后不久，就带来了雨。土地变成绿色，人们有很多的东西吃。"

<u>孙悟空</u>说："你们的国王真的是一个运气很好的人。就像古人说的那样：'魔法感动了大臣。'你觉得我可以见见这三个神仙吗？"

---

[9] 命令　　mìnglìng – to command

"Yìdiǎn wèntí dōu méiyǒu. Wǒmen huì bǎ nǐ jièshào gěi tāmen. Dànshì, wǒmen xiān yào zuò yìxiē gōngzuò. Nǐ kàndào zhèxiē méi yòng de héshang le ma? Tāmen shì fójiào tú. Zài wǒmen è de shíhòu, fójiào tú xiàng tāmen de shén qídǎo xià yǔ, dànshì shénme yě méi fāshēng. Ránhòu, dàojiào de shénxiān lái le, hěn róngyì dài lái le yǔshuǐ. Zhè ràng wǒmen de guówáng duì fójiào tú gǎndào shēngqì. Tā shuō tāmen méi yòng. Tā huǐhuài le tāmen de sìmiào, gàosù tāmen bùnéng líkāi zhè zuò chéngshì. Tā ràng tāmen gōngzuò. Wǒmen de gōngzuò shì kànzhe zhèxiē héshang, quèbǎo tāmen zài yīnggāi gōngzuò de shíhòu bú huì fàngsōng."

Sūn Wùkōng diǎndiǎn tóu, xiǎngzhe zhè shì, dàn shénme yě méi shuō. Ránhòu tā yǒu le yígè zhǔyì. Tā shuō: "Wǒ de péngyǒumen, kěnéng nǐmen kěyǐ bāngzhù wǒ. Wǒ yǒu yígè qīnqi, wǒ de jiùjiu, zhù zài zhège dìfāng. Tā shì yígè fójiào

"一点问题都没有。我们会把你介绍给他们。但是，我们先要做一些工作。你看到这些没用的和尚了吗？他们是佛教徒[10]。在我们饿的时候，佛教徒向他们的神祈祷下雨，但是什么也没发生。然后，道教的神仙来了，很容易带来了雨水。这让我们的国王对佛教徒感到生气。他说他们没用。他毁坏了他们的寺庙，告诉他们不能离开这座城市。他让他们工作。我们的工作是看着这些和尚，确保[11]他们在应该工作的时候不会放松。"

孙悟空点点头，想着这事，但什么也没说。然后他有了一个主意。他说："我的朋友们，可能你们可以帮助我。我有一个亲戚，我的舅舅，住在这个地方。他是一个佛教

---

[10] 佛教徒   fójiào tú – Buddhist monk
[11] 确保   quèbǎo – to make sure

héshang. Wǒ yǐjīng hěnduō nián méi jiànguò tā le. Wǒ

xiǎng tā kěnéng zhù zài nǐmen de chéngshì. Wǒ néng

kànkan tā shì búshì zhèxiē gōngrén zhōng de yígè

ma?"

"Dāngrán. Xiàqù kàn yí kàn nàxiē héshang. Yīnggāi yǒu

wǔbǎi gè. Nǐ kěyǐ bāngzhù wǒmen shǔ shǔ, quèbǎo

suǒyǒu wǔbǎi gè rén dōu zài nàlǐ. Nǐ zài nàlǐ shí, nǐ kěyǐ

zhǎo nǐ de jiùjiu. Ránhòu zài huílái, wǒmen huì xiàng nǐ

jièshào nà sān wèi shénxiān."

Sūn Wùkōng gǎnxiè le tāmen, ránhòu tā zǒuxiàng

héshangmen gōngzuò de dìfāng. Tā yìbiān zǒu yìbiān

qiāozhe mùyú, chàng le yì shǒu dàojiào gē.

Héshangmen kàndào tā lái le. Tāmen dōu tíngzhǐ

gōngzuò, xiàng tā kòutóu. Qízhōng yígè shuō: "Ò,

dàshī, bié shēngqì. Wǒmen suǒyǒu wǔbǎi rén yìzhí zài

nǔlì de gōngzuò!"

Tā huídá shuō: "Qǐng qǐlái, búyào hàipà. Wǒ búshì lái

kàn nǐmen de gōngzuò de. Wǒ zài zhǎo wǒ jiùjiu."

Héshangmen

和尚。我已经很多年没见过他了。我想他可能住在你们的城市。我能看看他是不是这些工人中的一个吗？"

"当然。下去看一看那些和尚。应该有五百个。你可以帮助我们数数，确保所有五百个人都在那里。你在那里时，你可以找你的舅舅。然后再回来，我们会向你介绍那三位神仙。"

孙悟空感谢了他们，然后他走向和尚们工作的地方。他一边走一边敲着木鱼，唱了一首道教歌。和尚们看到他来了。他们都停止工作，向他叩头。其中一个说："哦，大师，别生气。我们所有五百人一直在努力地工作！"

他回答说："请起来，不要害怕。我不是来看你们的工作的。我在找我舅舅。"和尚们

wéizhe tā, suǒyǒu rén dōu xīwàng Sūn Wùkōng néng

rèn tā wèi jiùjiu. Tā wèn: "Wǒ de péngyǒumen, nǐmen

wèishénme yào xiàng núlì yíyàng gōngzuò? Nǐmen

yīnggāi zài sìmiào lǐ niànfó. Nǐmen wèishénme yào wèi

zhèxiē dàoshì gōngzuò?"

Qízhōng yígè jiǎng le dàoshì jiǎngguò de yíyàng de

gùshi, nà shì guānyú è, sān gè shénxiān de dàolái hé

guówáng duì fójiào tú shēngqì de gùshi. Tā shuō:

"Xiànzài guówáng bú ràng wǒmen zài zuò héshang le.

Wǒmen zhǐ néng shì dàoshì de núlì!"

"Nǐmen wèishénme bù táozǒu ne?"

"Zhè duì wǒmen méiyǒu bāngzhù. Guówáng yǒu

wǒmen měi gè rén de huàxiàng, wángguó de sìxiàlǐ

dōu guàzhe zhèxiē huàxiàng. Rúguǒ wǒmen táopǎo,

wǒmen huì bèi rèn chū hé bèi zhuā zhù de."

"Nàme, nǐmen jiù fàngqì, děng sǐ ba."

"Shì de, wǒmen xǔduō rén yǐjīng sǐ le. Yì kāishǐ wǒmen

围着他，所有人都希望<u>孙悟空</u>能认他为舅舅。他问："我的朋友们，你们为什么要像<u>奴隶</u>¹²一样工作？你们应该在寺庙里念佛。你们为什么要为这些道士工作？"

其中一个讲了道士讲过的一样的故事，那是关于饿、三个神仙的到来和国王对佛教徒生气的故事。他说："现在国王不让我们再做和尚了。我们只能是道士的奴隶！"

"你们为什么不逃走呢？"

"这对我们没有帮助。国王有我们每个人的画像，王国的四下里都挂着这些画像。如果我们逃跑，我们会被认出和被抓住的。"

"那么，你们就放弃，等死吧。"

"是的，我们许多人已经死了。一开始我们

---

12 奴隶　　　núlì – slave

yǒu liǎng qiān rén. Yìqiān wǔbǎi rén yīnwèi gōngzuò tài lèi sǐ le. Dànshì duì wǒmen lái shuō, zuìhòu wǔbǎi rén, wǒmen sǐ bùliǎo. Xǔduō rén xiǎng shā sǐ zìjǐ, dàn wǒmen zǒng shì shībài. Suǒyǐ, wǒmen měitiān dōu zài gōngzuò. Wǎnshàng wǒmen chī yìdiǎn mǐtāng. Yèwǎn, wǒmen shuì zài wàimiàn de dìshàng. Měitiān wǎnshàng, Hēi'àn Liùshén hé Guāngmíng Liùshén lái dào wǒmen de mèng zhōng. Tāmen gàosù wǒmen yào qiángdà qǐlái, děng Tángsēng hé tā de túdì Qí Tiān Dà Shèng de dàolái. Tāmen gàosù wǒmen, dāng dà shèng lái shí, tā huì bāngzhù nàxiē shòudào shānghài de rén. Tā huì huǐ le dàoshì, dài huí fó de ài!"

Sūn Wùkōng tīngdào zhège hěn chījīng. Tā juédìng xiànzài búshì gàosù héshangmen tā jiùshì Qí Tiān Dà Shèng de shíhòu. Tā zhuǎnshēn zǒu huí dào liǎng gè chuānzhe piàoliang yīfu de dàoshì nàlǐ. Qízhōng yígè rén shuō: "Xiǎo xiōngdì, nǐ zhǎodào nǐ de jiùjiu le ma?"

有两千人。一千五百人因为工作太累死了。但是对我们来说，最后五百人，我们死不了。许多人想杀死自己，但我们总是失败[13]。所以，我们每天都在工作。晚上我们吃一点米汤。夜晚，我们睡在外面的地上。每天晚上，黑暗六神和光明六神来到我们的梦中。他们告诉我们要强大起来，等唐僧和他的徒弟齐天大圣的到来。他们告诉我们，当大圣来时，他会帮助那些受到伤害的人。他会毁了道士，带回佛的爱！"

孙悟空听到这个很吃惊。他决定现在不是告诉和尚们他就是齐天大圣的时候。他转身走回到两个穿着漂亮衣服的道士那里。其中一个人说："小兄弟，你找到你的舅舅了吗？"

"Shì de, wǒ zhǎodào le. Tāmen suǒyǒu wǔbǎi rén dōu shì wǒ de jiùjiu."

"Nà zěnme kěnéng?"

"Wǒ láizì yígè fēicháng dà de jiā. Wǒ yòubiān yǒu yìbǎi gè línjū. Wǒ zuǒbiān yǒu yìbǎi gè línjū. Wǒ bàba nà biān yǒu yìbǎi gè, wǒ māma nà biān yǒu yìbǎi gè. Hái yǒu yìbǎi gè shì wǒ de zhēn xiōngdì. Suǒyǒu dōu shì wǒ de qīnqi hé péngyǒu. Ràng tāmen dōu líkāi. Xiànzài."

Dàoshì shuō: "Wǒmen dāngrán bú huì nàyàng zuò. Rúguǒ wǒmen ràng tāmen líkāi, shuí lái zuò zhègè chéngshì lǐ de gōngzuò?"

"Nà búshì wǒ de wèntí. Ràng tāmen líkāi!" Sūn Wùkōng dà hǎn. Tāmen jùjué le. Tā yòu wèn le tāmen sāncì. Měi cì tāmen dōu jùjué le, měi cì tā dōu biàn dé gēng shēngqì le. Zuìhòu, tā ná chū tā de jīn gū bàng, dǎ xiàng liǎng gè dào

"是的，我找到了。他们所有五百人都是我的舅舅。"

"那怎么可能？"

"我来自一个非常大的家。我右边有一百个邻居。我左边有一百个邻居。我爸爸那边有一百个，我妈妈那边有一百个。还有一百个是我的真兄弟。所有都是我的亲戚和朋友。让他们都离开。现在。"

道士说："我们当然不会那样做。如果我们让他们离开，谁来做这个城市里的工作？"

"那不是我的问题。让他们离开！"孙悟空大喊。他们拒绝[14]了。他又问了他们三次。每次他们都拒绝了，每次他都变得更生气了。最后，他拿出他的金箍棒，打向两个道

---

[14] 拒绝　　　　jùjué – to refuse

shì de tóu, mǎshàng bǎ tāmen shā sǐ le.

Héshangmen kàndào le zhè, jiù pǎo xiàng Sūn Wùkōng, dà hǎn, "Bù hǎo le! Bù hǎo le! Xiànzài guówáng huì fēicháng shēngqì, wǒmen huì yīnwèi zhè shòudào chéngfá. Nǐ wèishénme zhème zuò?"

"Búyào jiào le, nǐmen suǒyǒu de rén. Wǒ búshì yóu zǒu de dàoshì. Wǒ shì Sūn Wùkōng, Qí Tiān Dà Shèng. Wǒ hé Tángsēng yìqǐ zài lǚtú shàng. Wǒ lái jiù nǐmen de shēngmìng."

Qízhōng yígè héshang hǎndào: "Bù, nǐ bù kěnéng shì dà shèng. Zài wǒmen de mèng zhōng, wǒmen yùdào le yígè jiào zìjǐ Tàibái Jīnxīng de lǎorén. Tā shuō, dà shèng yǒu yígè yuán tóu, máo liǎn, jīn yǎn hé jiān zuǐ. Tā názhe yì gēn jīn gū bàng, zhè bàng bèi tā yòng lái dǎguò tiāngōng de dàmén. Tāmen hái shuō tā hěn cūlǔ."

Sūn Wùkōng hěn gāoxìng tīngdào shénxiānmen zài jiǎng tā, dàn tā yěyǒu

士的头，马上把他们杀死了。

和尚们看到了这，就跑向孙悟空，大喊，
"不好了！不好了！现在国王会非常生气，
我们会因为这受到惩罚。你为什么这么
做？"

"不要叫了，你们所有的人。我不是游走的
道士。我是孙悟空，齐天大圣。我和唐僧一
起在旅途上。我来救你们的生命。"

其中一个和尚喊道："不，你不可能是大
圣。在我们的梦中，我们遇到了一个叫自己
太白金星的老人。他说，大圣有一个圆头、
毛脸、金眼和尖嘴。他拿着一根金箍棒，这
棒被他用来打过天宫的大门。他们还说他很
粗鲁[15]。"

孙悟空很高兴听到神仙们在讲他，但他也有

---

[15] 粗鲁　　　cūlǔ - rude

xiē shēngqì, yīnwèi shénxiānmen duì zhèxiē héshang jiǎng le tài duō guānyú tā de shì le. Tā shuō: "Hǎoba, wǒ búshì dà shèng. Wǒ zhǐshì tā de túdì. Zhèlǐ yǒu yí wèi dà shèng!" Tā zhǐzhe héshang hòumiàn de yígè dìfāng. Dāng tāmen zhuǎn guò tóu qù kàn shí, tā biàn huí tā zhēn de yàngzi, ránhòu dà hǎn: "Wǒ zài zhèlǐ!"

Tāmen huítóu kànjiàn le tā, ránhòu tāmen dōu guì xià shuōdào: "Ò, bàba, wǒmen hěn duìbùqǐ, wǒmen méiyǒu rènchū nín. Wǒmen qiú nín wèi wǒmen bàochóu. Jìn chéng, shā sǐ nàxiē móguǐ!"

Sūn Wùkōng yòng tā de mólì ná qǐ hěn zhòng de xiǎochē, bǎ tā zá zài dìshàng. Tā dà hǎn: "Zǒu kāi! Míngtiān wǒ yào qù jiàn zhège bèn guówáng, yào shā sǐ nàxiē dàoshì."

"Dànshì bàba, wǒmen hěn hàipà. Nín zǒu hòu wǒmen gāi zěnme bàn? Rúguǒ dàoshì huílái zěnme bàn?"

些生气，因为神仙们对这些和尚讲了太多关于他的事了。他说："好吧，我不是大圣。我只是他的徒弟。这里有一位大圣！"他指着和尚后面的一个地方。当他们转过头去看时，他变回他真的样子，然后大喊："我在这里！"

他们回头看见了他，然后他们都跪下说道："哦，爸爸，我们很对不起，我们没有认出您。我们求您为我们报仇。进城，杀死那些魔鬼！"

孙悟空用他的魔力拿起很重的小车，把它砸[16]在地上。他大喊："走开！明天我要去见这个笨国王，要杀死那些道士。"

"但是爸爸，我们很害怕。您走后我们该怎么办？如果道士回来怎么办？"

---

16 砸　　　zá – to smash onto the ground

Sūn Wùkōng cóng tóushàng bá le yì bǎ tóufà. Tā juézhe tāmen, zhídào tā yǒu wǔbǎi gēn tóufà xiǎoduàn. Tā gěi le měi gè héshang yì xiǎoduàn. Tā gàosù tāmen bǎ xiǎoduàn tóufà fàng zài tāmen de dì sì gè shǒuzhǐ de zhǐjiǎ xià. "Rúguǒ yǒurén gěi nǐmen máfan, qǐng wǒ jǐn quán, shuō: 'Qí Tiān Dà Shèng.' Wǒ jiù huì lái bǎohù nǐmen de."

Zhè ràng héshangmen hěn nán xiāngxìn. Qízhōng yígè héshang jǔ qǐ quán, dī shēng shuō: "Qí Tiān Dà Shèng". Mǎshàng, yí wèi léishén chūxiàn zài tā de miànqián, shǒu lǐ názhe yì gēn tiě bàng. Léishén nàme de dà hé qiáng, méi rén gǎn gōngjī héshang. Dédào le zhège gǔlì, qítā jǐ wèi héshang yě shuō: "Qí Tiān Dà Shèng". Měi yícì, léishén dōu chūxiàn zài tāmen de miànqián.

孙悟空从头上拔了一把头发。他嚼着它们，直到他有五百根头发小段。他给了每个和尚一小段。他告诉他们把小段头发放在他们的第四个手指的指甲[17]下。"如果有人给你们麻烦，请握[18]紧拳[19]，说：'齐天大圣。'我就会来保护你们的。"

这让和尚们很难相信。其中一个和尚举起拳，低声说："齐天大圣"。马上，一位雷神出现在他的面前，手里拿着一根铁棒。雷神那么的大和强，没人敢攻击[20]和尚。得到了这个鼓励[21]，其他几位和尚也说："齐天大圣"。每一次，雷神都出现在他们的面前。

---

17 指甲　　zhǐjiǎ – fingernail
18 握　　　wò – to grip
19 拳　　　quán – fist
20 攻击　　gōngjī – to attack
21 鼓励　　gǔlì – to encourage

"Dāng nǐmen xiǎng yào léishén zǒu kāi, zhǐ xūyào shuō yígè zì 'tíng', tā jiù huì bújiàn le." Héshangmen xiànzài gǎndào gèng zìxìn le, dōu hǎnzhe "tíng", suǒyǒu de léishén dōu bújiàn le.

Zài suǒyǒu zhèxiē fāshēng shí, Tángsēng hé qítā liǎng gè túdì zhèngzài lùshàng děngzhe. Tāmen děng de lèi le, bùxiǎng zài děng xiàqù le, suǒyǐ tāmen kāishǐ xiàng chéngshì zǒu qù. Bùjiǔ, tāmen kàndào Sūn Wùkōng zhàn zài nàlǐ, yǒu yì qún héshang wéizhe tā. Tā ràng Sūn Wùkōng jiǎng fāshēng le shénme shì. Sūn Wùkōng gěi tā cóngtóu dào wěi jiǎng le zhège gùshi. Tángsēng xiàhuài le, wèn Sūn Wùkōng gāi zěnme bàn.

Qízhōng yígè héshang duì Tángsēng shuō: "Wěidà de bàba, búyào hàipà. Dà shèng Sūn yǒu qiángdà de mólì, tā huì bǎohù nín bú shòudào wēixiǎn. Chéng lǐ hái yǒu yí zuò sìmiào, guówáng méiyǒu huǐhuài tā. Qǐng dào wǒmen de sìmiào lái, zài nàlǐ xiūxi.

"当你们想要雷神走开，只需要说一个字'停'，它就会不见了。"和尚们现在感到更自信[22]了，都喊着"停"，所有的雷神都不见了。

在所有这些发生时，唐僧和其他两个徒弟正在路上等着。他们等得累了，不想再等下去了，所以他们开始向城市走去。不久，他们看到孙悟空站在那里，有一群和尚围着他。他让孙悟空讲发生了什么事。孙悟空给他从头到尾讲了这个故事。唐僧吓坏了，问孙悟空该怎么办。

其中一个和尚对唐僧说："伟大的爸爸，不要害怕。大圣孙有强大的魔力，他会保护您不受到危险。城里还有一座寺庙，国王没有毁坏它。请到我们的寺庙来，在那里休息。

---

22 自信　　　zìxìn – confident

43

Míngtiān, dà shèng huì zhīdào gāi zěnme zuò."

Sì gè yóurén hé yìqún héshang dōu zǒu jìn le sìmiào.
Dāng tāmen jìnrù shí, tāmen kàndào le yízuò jīnsè
dàfó. Tángsēng bàidǎo zài fó qián. Ránhòu yí wèi lǎo
héshang chūlái jiàn tāmen. Tā kànzhe Sūn Wùkōng,
bàidǎo zài dìshàng shuō: "Bàba, nín láile! Nín shì Qí
Tiān Dà Shèng, shì wǒmen zài mèng zhòng kàndào de
nàge rén!"

"Qǐng qǐlái," Sūn Wùkōng xiàozhe. "Míngtiān wǒmen
huì jiějué nǐmen de wèntí." Héshangmen dōu qù wèi
yóurénmen zhǔnbèi yí dùn jiǎndān de sùshí. Ránhòu,
yóurénmen shàngchuáng shuìjiào.

Dànshì Sūn Wùkōng shuìbùzháo. Tā zài xiǎngzhe
báitiān fāshēng de shìqing hé míngtiān yào zuò
shénme. Zài èr gēng de shíhòu, tā tīngdào le yīnyuè
shēng. Tā qǐchuáng, chuān le yīfu, ránhòu tiào dào
kōngzhōng yún shàng. Xiàng xià kàn, tā kàndào le jiào
Sān Qīng Guān de dào miào. Zài miào wài de yuànzi lǐ,
zài huǒjù de guāngliàng xià,

明天，大圣会知道该怎么做。"

四个游人和一群和尚都走进了寺庙。当他们进入时，他们看到了一座金色大佛。<u>唐僧拜</u>[23]倒在佛前。然后一位老和尚出来见他们。他看着<u>孙悟空</u>，拜倒在地上说："爸爸，您来了！您是<u>齐天大圣</u>，是我们在梦中看到的那个人！"

"请起来，"<u>孙悟空</u>笑着。"明天我们会解决你们的问题。"和尚们都去为游人们准备一顿简单的素食。然后，游人们上床睡觉。

但是<u>孙悟空</u>睡不着。他在想着白天发生的事情和明天要做什么。在二更的时候，他听到了音乐声。他起床，穿了衣服，然后跳到空中云上。向下看，他看到了叫<u>三清观</u>的道庙。在庙外的院子[24]里，在火炬的光亮下，

---

23 拜   bài – to prostrate in worship
24 院子   yuànzi – courtyard

45

tā kàndào sān gè chuānzhe piàoliang cháng yī de dàojiào shénxiān. Hái yǒu qī, bābǎi gè dàoshì. Tāmen zài chànggē, dǎgǔ, shāoxiāng, bǎ qídǎo sòng shàngtiān. Zhuōzi shàng yǒu hěnduō shíwù. Tā xīn xiǎng: "Wǒ xiǎng qù nàlǐ wánwan. Dànshì, wǒ xiān yào dédào Zhū hé Shā de bāngzhù."

Tā huí dào fó miào jiào xǐng le Zhū hé Shā. Tā shuō: "Hé wǒ yìqǐ qù Sān Qīng Guān. Dàoshìmen zài nàlǐ jǔxíng yì zhǒng diǎnlǐ. Zhuō shàng fàng mǎn le shuǐguǒ, xiàng tǒng yíyàng dà de bāozi hé měi gè yǒu 50 jīn zhòng de dàngāo. Ràng wǒmen yìqǐ xiǎngshòu ba!"

Tāmen sān gè rén líkāi le sìmiào, fēi dào le dào miào. Tāmen xiàng xià kàn, kàndào dàoshì hé suǒyǒu hǎo chī de shíwù. "Wǒmen bù yīnggāi dào nà'er qù," Shā shuō, "Rén tài duō le."

他看到三个穿着漂亮长衣的道教神仙。还有七、八百个道士。他们在唱歌，打鼓，烧香，把祈祷送上天。桌子上有很多食物。他心想："我想去那里玩玩。但是，我先要得到猪和沙的帮助。"

他回到佛庙叫醒了猪和沙。他说："和我一起去三清观。道士们在那里举行一种典礼[25]。桌上放满了水果，像桶[26]一样大的包子和每个有 50 斤重的蛋糕。让我们一起享受[27]吧！"

他们三个人离开了寺庙，飞到了道庙。他们向下看，看到道士和所有好吃的食物。

"我们不应该到那儿去，"沙说，"人太多了。"

---

[25] 典礼　　diǎnlǐ – ceremony
[26] 桶　　　tǒng – barrel
[27] 享受　　xiǎngshòu – to enjoy

"Ràng wǒ yòng yìdiǎn mófǎ," Sūn Wùkōng huídá. Tā chuīchū yízhèn dàfēng. Fēng biàn chéng le bàofēngyǔ. Tā chuī miè le suǒyǒu de dēng hé huǒjù, zá dào le zhuōzi hé yǐzi. Hǔlì Shénxiān shuō: "Túdìmen, tiānqì biàn huài le. Wǒmen qù fáng lǐ shuìjiào. Wǒmen míngtiān zài wánchéng wǒmen de qídǎo."

Dàoshì líkāi hòu, sān gè túdì lái dào le yuànzi. Zhū mǎshàng zhuā qǐ le yígè bāozi. Sūn Wùkōng dǎ le tā de shǒu, shuō: "Búyào nàyàng zuò. Ràng wǒmen zuò xiàlái, yào yǒu lǐyí de chīfàn."

"Nǐ zài gēn wǒ kāiwánxiào ba?" Zhū huídá. "Nǐ zài zhèlǐ, cóng miào lǐ tōu shíwù, nǐ zài gēn wǒ tán lǐyí ma?"

Sūn Wùkōng táitóu, kàndào qiáng biān yǒu sān zuò diāoxiàng. "Tāmen shì shuí?" tā wèn.

"让我用一点魔法，"孙悟空回答。他吹出一阵大风。风变成了暴风雨。它吹灭了所有的灯和火炬，砸倒了桌子和椅子。虎力神仙说："徒弟们，天气变坏了。我们去房里睡觉。我们明天再完成我们的祈祷。"

道士离开后，三个徒弟来到了院子。猪马上抓起了一个包子。孙悟空打了他的手，说："不要那样做。让我们坐下来，要有礼仪[28]的吃饭。"

"你在跟我开玩笑[29]吧？"猪回答。"你在这里，从庙里偷食物，你在跟我谈礼仪吗？"

孙悟空抬头，看到墙边有三座雕像。"他们是谁？"他问。

---

[28] 礼仪　　　lǐyí – etiquette, proper manners
[29] 开玩笑　　kāiwánxiào – to kid, to joke

"Nǐ shénme dōu bù zhīdào ma?" Zhū huídá. "Nà shì Sān Qīng. Zuǒbiān shì Yù Qīng. Zhōngjiān shì Shàng Qīng. Yòubiān shì Lǎozǐ běnrén, Tài Qīng." Zhū yòng tā de cháng bízi tuī kāi lǎozǐ de diāoxiàng. Ránhòu tā biàn le tā de yàngzi, kànshàngqù jiù xiàng Lǎozǐ de diāoxiàng. Shā xiào le, biàn chéng le Shàng Qīng, Sūn Wùkōng biàn chéng le Yù Qīng. "Hǎo," Zhū shuō, "wǒmen chīfàn ba!"

"Hái méi ne," Sūn Wùkōng huídá. "Wǒmen yào bǎ zhè sān zuò diāoxiàng cáng qǐlái. Zài zhège fángjiān wàimiàn, wǒ kàndào yòubiān yǒu yí shàn xiǎo mén. Nàlǐ hěn nán wén, suǒyǐ wǒ xiǎng zhè shì Wǔgǔ Lúnhuí Fáng. Bǎ diāoxiàng fàng zài nàlǐ." Dāngrán, dāng Sūn Wùkōng zhèyàng shuō shí, tā de yìsi shì nà shì cèsuǒ. Zhū bǎ sān zuò diāoxiàng bān jìn le cèsuǒ, ránhòu rēng jìn le mǎ

"你什么都不知道吗？"猪回答。"那是三清。左边是玉清。中间是上清。右边是老子本人，太清[30]。"猪用他的长鼻子推开老子的雕像。然后他变了他的样子，看上去就像老子的雕像。沙笑了，变成了上清，孙悟空变成了玉清。"好，"猪说，"我们吃饭吧！"

"还没呢，"孙悟空回答。"我们要把这三座雕像藏[31]起来。在这个房间外面，我看到右边有一扇小门。那里很难闻，所以我想这是五谷轮回房。把雕像放在那里。"当然，当孙悟空这样说时，他的意思是那是厕所。猪把三座雕像搬进了厕所，然后扔进了马

---

[30] According to the Dao De Jing, "The Dao produced One; One produced Two; Two produced Three; and the Three produced the Ten Thousand Things." The Three Pure Ones are manifestations of the Three. They are also called the Jade Pure One (Lord of Primordial Beginnings), the Supreme Pure One (Lord of Numinous Treasure), and the Grand Pure One (Lord of the Way and Its Virtue), manifested as Laozi.

[31] 藏   cáng – to hide a non-living thing

51

tǒng. Tāmen diào zài zāng shuǐ lǐ. Ránhòu tā xiàozhe

huí dào yuànzi. Tāmen sān gè kànshàngqù xiàng Sān

Qīng, zuò zài zhuōzi pángbiān. Tāmen hē le suǒyǒu de

jiǔ, chī le zuìhòu yìkǒu shíwù.

Yígè niánqīng de dàoshì zhèng xiǎng yào qù shuìjiào,

dàn tā xiǎngqǐ tā bǎ shǒu líng liú zài le yuànzi lǐ. Tā zài

hēi'àn zhōng qǐchuáng, zǒu dào yuànzi lǐ qù ná líng. Tā

tīngdào hūxī shēng, biàn dé fēicháng hàipà. Tā xiǎng

cóng yuànzi lǐ pǎo chūlái, dàn tā zài yì gēn xiāngjiāo

shàng huá dǎo le. Zhū kàndào le zhè, dàshēng xiào le

qǐlái. Zhè ràng niánqīng de dàoshì gèng hàipà le. Tā

pǎo dào sān gè dàojiào shénxiān zhù de dìfāng, hǎn

dào: "Dàshī, kuài lái! Wǒ tīngdào yuànzi li yǒu hūxī

shēng, ránhòu wǒ tīngdào yǒurén zài xiào!"

Hǔlì Shénxiān hǎn dào: "Ná dēng lái. Ràng wǒmen kàn

kan shuí zài nàlǐ." Ránhòu, suǒyǒu sān gè dàojiào

shénxiān hé jǐ bǎi gè dàoshì dōu ná le dēng hé huǒjù,

pǎo dào yuànzi lǐ.

桶。它们掉在脏水里。然后他笑着回到院子。他们三个看上去像三清，坐在桌子旁边。他们喝了所有的酒，吃了最后一口食物。

一个年轻的道士正想要去睡觉，但他想起他把手铃[32]留在了院子里。他在黑暗中起床，走到院子里去拿铃。他听到呼吸声，变得非常害怕。他想从院子里跑出来，但他在一根香蕉上滑倒了。猪看到了这，大声笑了起来。这让年轻的道士更害怕了。他跑到三个道教神仙住的地方，喊道："大师，快来！我听到院子里有呼吸声，然后我听到有人在笑！"

虎力神仙喊道："拿灯来。让我们看看谁在那里。"然后，所有三个道教神仙和几百个道士都拿了灯和火炬，跑到院子里。

---

32 铃　　　　líng – small bell

Sūn Wùkōng tīngdào rénqún lái le. Tā duì Zhū hé Shā shuō: "Kànzhe wǒ!" Ránhòu tā biàn dé ānjìng, zuòzhe bú dòng, xiàng yízuò diāoxiàng. Zhū hé Shā kàndào tā zhèyàng zuò. Tāmen yě zuòzhe bú dòng. Xiànzài tāmen kànshàngqù jiù xiàng Sān Qīng.

Húlì Shénxiān hé qítā rén yìqǐ lái dào le yuànzi lǐ. Tā jǔ qǐ le huǒjù, zǐxì kàn le zhè sān zuò diāoxiàng, dàn tāmen kànqǐlái zhēn de jiù xiàng Sān Qīng diāoxiàng. Ránhòu tā shuō: "Zhèlǐ méiyǒu xiǎotōu, zhǐyǒu zhè sān zuò diāoxiàng. Dànshì shuí chī le suǒyǒu de shíwù?"

Yánglì Shénxiān huídá shuō: "Wǒ rènwéi Sān Qīng xià dào rénjiān, lái dào wǒmen de sìmiào, chī le wǒmen de shíwù. Wǒmen fēicháng yǒu yùnqì! Ràng wǒmen qǐng tāmen gěi wǒmen yìxiē jīnsè dān yào. Wǒmen kěyǐ bǎ tā gěi wǒmen de guówáng."

Sān gè shénxiān hé suǒyǒu dàoshì kāishǐ chànggē, tiàowǔ, niàn dào

第 45 章

孙悟空听到人群来了。他对猪和沙说："看着我！"然后他变得安静，坐着不动，像一座雕像。猪和沙看到他这样做。他们也坐着不动。现在他们看上去就像三清。

虎力神仙和其他人一起来到了院子里。他举起了火炬，仔细看了这三座雕像，但它们看起来真的就像三清雕像。然后他说："这里没有小偷，只有这三座雕像。但是谁吃了所有的食物？"

羊力神仙回答说："我认为三清下到人间，来到我们的寺庙，吃了我们的食物。我们非常有运气！让我们请他们给我们一些金色丹药。我们可以把它给我们的国王。"

三个神仙和所有道士开始唱歌，跳舞，念道

jīng. Ránhòu Húlì Shénxiān bàidǎo zài dìshàng, jǔ qǐ shuāng bì, qǐng Sān Qīng gěi guówáng jīnsè dān yào.

Sūn Wùkōng duì tāmen shuō: "Nǐmen zhèxiē niánqīng de shénxiān, qǐng búyào zài xiàng wǒmen yào jīnsè dān yào le. Wǒmen gānggāng cóng Xiāntáo Jié huílái. Xiànzài, wǒmen méiyǒu nǐmen xiǎng yào de dān yào. Míngtiān huílái, wǒmen huì bǎ tāmen gěi nǐmen de."

Dàoshìmen kàndào Yù Qīng zhāng kāi zuǐ shuōhuà. Tāmen xià huài le, dǎo zài dìshàng. Lùlì Shénxiān shàng qián, yě bàidǎo zài dìshàng shuō:

Ò, Sān Qīng,
Nǐmen de túdì xiàng nǐmen qídǎo,
Wǒmen de tóu zài tǔ zhōng,
Nǐmen de túdì wèi nǐmen chànggē
Yèwǎn yǒu huǒjù, báitiān yǒu xiānghuǒ,
Wǒmen lái zhèlǐ, fàng le guówáng,

经[33]。然后虎力神仙拜倒在地上，举起双臂，请三清给国王金色丹药。

孙悟空对他们说："你们这些年轻的神仙，请不要再向我们要金色丹药了。我们刚刚从仙桃节回来。现在，我们没有你们想要的丹药。明天回来，我们会把它们给你们的。"

道士们看到玉清张开嘴说话。他们吓坏了，倒在地上。鹿力神仙上前，也拜倒在地上说：

> 哦，三清，
>
> 你们的徒弟向你们祈祷，
>
> 我们的头在土中，
>
> 你们的徒弟为你们唱歌，
>
> 夜晚有火炬，白天有香火，
>
> 我们来这里，放了国王，

---

[33] 经　　　jīng – scripture

Xiànzài wǒmen qǐng nǐmen gěi tā chángshēng,

Qǐng tīng wǒmen de qídǎo

Gěi wǒmen yìxiē jīnsè dān yào!

Sūn Wùkōng shuō: "Hǎo le, niánqīng de shénxiān, bù tán zhège le. Wǒmen tīngdào le nǐmen de qídǎo, huì bǎ nǐmen yào de jīnsè dān yào gěi nǐmen. Gěi wǒmen yìxiē dōngxi lái fàng lǐwù." Mǎshàng, sān gè shénxiān pǎo qù zhǎo sān gè dà tǒng. Hěn kuài, tāmen dàizhe kōng de tǒng huílái le. "Hěn hǎo," Sūn Wùkōng shuō. "Xiànzài líkāi, guānshàng suǒyǒu de mén hé chuāng mùbǎn. Tiānshàng de mìmì, bùnéng bèi rénmen de yǎnjīng kàndào. Dāng dān yào zhǔnbèi hǎo le, wǒmen huì jiào nǐmen lái." Sān gè shénxiān hé suǒyǒu dàoshì dōu líkāi le yuànzi. Tāmen guānshàng le suǒyǒu de mén hé chuāng mùbǎn, suǒyǐ méi rén néng kàndào yuànzi lǐ.

Sūn Wùkōng zhàn qǐlái, zǒu dào qízhōng yígè tǒng qián, dǎkāi tā de lǎohǔ pí, niào dào le tǒng lǐ, zhídào tǒng mǎn. Zhū kàndào zhè, xiào le, shuō: "Gēge, wǒmen zuò péngyǒu yǐjīng hěn

现在我们请你们给他长生，

请听我们的祈祷

给我们一些金色丹药！

孙悟空说："好了，年轻的神仙，不谈这个了。我们听到了你们的祈祷，会把你们要的金色丹药给你们。给我们一些东西来放礼物。"马上，三个神仙跑去找三个大桶。很快，他们带着空的桶回来了。"很好，"孙悟空说。"现在离开，关上所有的门和窗木板。天上的秘密，不能被人们的眼睛看到。当丹药准备好了，我们会叫你们来。"三个神仙和所有道士都离开了院子。他们关上了所有的门和窗木板，所以没人能看到院子里。

孙悟空站起来，走到其中一个桶前，打开他的老虎皮，尿到了桶里，直到桶满。猪看到这，笑了，说："哥哥，我们做朋友已经很

cháng shíjiān le, dàn zhè shì wǒ hé nǐ zuò de zuì kāixīn de shì le!" Ránhòu tā niào mǎn le dì èr gè tǒng. Shā niào mǎn le dì sān gè tǒng.

Ránhòu Sūn Wùkōng hǎn dào: "Xiǎo rén'er, guòlái ná nǐmen de jīnsè dān yào!" Dàoshìmen huí dào yuànzi. Tāmen xiàng Sān Qīng kòutóu. Ránhòu, tāmen ná qǐ sān gè tǒng, bǎ nàxiē yètǐ dào rù yígè dàtǒng zhōng, bǎ tāmen hùnhé zài yìqǐ. "Túdì," Húlì Shénxiān jiàozhe, "gěi wǒ ná ge bēizi lái." Qízhōng yígè dàoshì gěi tā ná lái le yígè dà bēizi. Tā bǎ bēizi fàng rù tǒng zhōng, gěi bēizi fàng mǎn le wēnnuǎn de yètǐ, ránhòu mǎshàng bǎ bēizi lǐ suǒyǒu de yètǐ dōu hē le. Qítā rén kànzhe tā. Tā zhǎ le jǐ cì yǎnjīng.

"Gēge," Lùlì Shénxiān shuō, "wèidào zěnmeyàng?"

"Wǒ zhǐ néng shuō, tā de wèidào bù hǎo," Húlì Shénxiān

长时间了，但这是我和你做的最开心的事
了！"然后他尿满了第二个桶。沙尿满了第
三个桶。

然后孙悟空喊道："小人儿，过来拿你们的
金色丹药！"道士们回到院子。他们向三清
叩头。然后，他们拿起三个桶，把那些液体
倒入一个大桶中，把它们混合[34]在一起。
"徒弟，"虎力神仙叫着，"给我拿个杯子
来。"其中一个道士给他拿来了一个大杯
子。他把杯子放入桶中，给杯子放满了温暖
的液体，然后马上把杯子里所有的液体都喝
了。其他人看着他。他眨了几次眼睛。

"哥哥，"鹿力神仙说，"味道[35]怎么
样？"

"我只能说，它的味道不好，"虎力神仙

---

34 混合   hùnhé – to mix
35 味道   wèidào – to taste

shuō. "Wèidào hěn qiáng hěn kǔ."

Yánglì Shénxiān shì le yètǐ. "Wǒ juédé tā de wèidào xiàng zhū niào." Tā shuō.

Sūn Wùkōng xiào le chūlái. Tā zhàn qǐlái shuō: "Ò, dàoshìmen, nǐmen zhēn bèn! Ràng wǒ gàosù nǐmen wǒmen de zhēnmíng. Wǒmen búshì Sān Qīng. Wǒmen shì Tángsēng de túdì, Táng huángdì ràng wǒmen xīxíng. Wǒmen láidào nǐmen de chéngshì, zhǎo xiūxi de dìfāng. Jīn wǎn, wǒmen fāxiàn le zhèxiē hǎochī de shíwù, chī le hē le suǒyǒu de dōngxi. Wǒmen xiǎng zhǎo yígè bànfǎ lái huán nǐmen hǎochī de shíwù hé hǎo jiǔ, suǒyǐ zhèlǐ jiùshì. Wǒmen xīwàng nǐmen xǐhuān nǐmen de jīnsè dān yào!"

Dàoshìmen fēicháng de shēngqì. Tāmen ná qǐ suǒyǒu néng zhǎodào de dōngxi – bàzi, bàng, huǒjù, shítou – gōngjī le sān gè táng túdì. Hěn kuài, sān gè fójiào tú fēi dào kōngzhōng, huí dào fó miào. Dāng tāmen dào le nàlǐ, tāmen ānjìng de huí

说。"味道很强很苦。"

羊力神仙试了液体。"我觉得它的味道像猪尿。"他说。

孙悟空笑了出来。他站起来说："哦，道士们，你们真笨！让我告诉你们我们的真名。我们不是三清。我们是唐僧的徒弟，唐皇帝让我们西行。我们来到你们的城市，找休息的地方。今晚，我们发现了这些好吃的食物，吃了喝了所有的东西。我们想找一个办法来还你们好吃的食物和好酒，所以这里就是。我们希望你们喜欢你们的金色丹药！"

道士们非常的生气。他们拿起所有能找到的东西 - 耙子，棒，火炬，石头 - 攻击了三个唐徒弟。很快，三个佛教徒飞到空中，回到佛庙。当他们到了那里，他们安静地回

dào chuángshàng, bùxiǎng chǎoxǐng tāmen de shīfu.

Tāmen de dùzi hěn bǎo, tāmen yìzhí shuì dào dì èr tiān

zǎoshàng hěn wǎn cái qǐlái.

Zǎoshàng, Tángsēng qǐchuáng, duì tāmen shuō: "Túdì,

qǐchuáng. Wǒ xūyào qù jiàn guówáng. Tā yào qiānshǔ

wǒmen de tōngguān wénshū."

Sān gè túdì yě qǐchuáng le, chuān shàng yīfu, děngzhe

Tángsēng. Tāmen shuō: "Shīfu, qǐng xiǎoxīn. Zhè wèi

guówáng shì dàoshì de péngyǒu, bù xǐhuān fójiào tú.

Wǒmen dānxīn, rúguǒ tā kàndào wǒmen shì fójiào tú,

tā huì jùjué qiānshǔ wǒmen de tōngguān wénshū.

Qǐng ràng wǒmen hé nǐ yìqǐ qù jiàn guówáng."

Tángsēng tóngyì le, tāmen líkāi sìmiào, zǒu dào

guówáng de gōng

到床上，不想吵醒[36]他们的师父。他们的肚子很饱，他们一直睡到第二天早上很晚才起来。

早上，唐僧起床，对他们说："徒弟，起床。我需要去见国王。他要签署[37]我们的通关文书[38]。"

三个徒弟也起床了，穿上衣服，等着唐僧。他们说："师父，请小心。这位国王是道士的朋友，不喜欢佛教徒。我们担心，如果他看到我们是佛教徒，他会拒绝签署我们的通关文书。请让我们和你一起去见国王。"唐僧同意了，他们离开寺庙，走到国王的宫

---

36 吵醒   chǎo xǐng - to wake someone up accidentally
37 签署   qiānshǔ – to sign
38 通关文书   tōngguān wénshū – a travel rescript, similar to an imperial passport that needs to be stamped by each kingdom to guarantee legal passage, in this case along the quest to India. It contains an introductory letter from the Tang emperor and the stamps of all the kingdoms already visited.

diàn.

Tāmen lái dào gōngdiàn, gàosù yí wèi dàchén, tāmen
shì láizì dōngfāng de héshang, qù Yìndù, xīwàng xiàng
guówáng wènhǎo, dédào qiānshǔ de tōngguān
wénshū. Dàchén gàosù le guówáng, sì gè yóurén bèi
yāoqǐng jìnrù bǎozuò fángjiān.

Guówáng kànzhe sì gè fójiào tú. Tā duì tā de dàchén
shuō: "Rúguǒ zhèxiē héshang xiǎng zhǎosǐ, tāmen
wèishénme yào lái zhèlǐ zhǎosǐ?"

Dàchén huídá shuō: "Bìxià, tāmen láizì Táng dìguó. Tā
zài Zhōngguó, lí zhèlǐ xiàng dōng yǒu yí wàn lǐ yuǎn.
Cóng Táng dào zhèlǐ de lù fēicháng wēixiǎn, yǒu xǔduō
yāoguài hé dòngwù. Dànshì, zhè sì gè hái huózhe.
Tāmen yídìng yǒu fēicháng qiángdà de mólì. Qǐng
qiānshǔ tāmen de tōngguān wénshū, ràng tāmen jìxù
qián xíng."

Tángsēng hé sān gè túdì zǒuxiàng qián, bǎ wénshū gěi
le guówáng. Guówáng ná le wénshū, dú le, ránhòu
zhǔnbèi qiānshǔ wénshū.

殿。

他们来到宫殿，告诉一位大臣，他们是来自东方的和尚，去印度，希望向国王问好，得到签署的通关文书。大臣告诉了国王，四个游人被邀请进入宝座房间。

国王看着四个佛教徒。他对他的大臣说："如果这些和尚想找死，他们为什么要来这里找死？"

大臣回答说："陛下，他们来自唐帝国。它在中国，离这里向东有一万里远。从唐到这里的路非常危险，有许多妖怪和动物。但是，这四个还活着。他们一定有非常强大的魔力。请签署他们的通关文书，让他们继续前行。"

唐僧和三个徒弟走向前，把文书给了国王。国王拿了文书，读了，然后准备签署文书。

Dànshì jiù zài zhè shí, sān gè dàojiào shénxiān lái le. Tāmen méiyǒu bèi yāoqǐng jiù zǒu jìn bǎozuò fángjiān. Guówáng xiàng tāmen jūgōng. Tāmen zhí zhí de zhànzhe, méiyǒu huí kòutóu. Guówáng duì tāmen shuō: "Ò, dàxiān, wǒmen méiyǒu xiǎngdào jīntiān néng jiàn dào nǐmen. Nǐmen wèishénme lái?"

Qízhōng yí wèi huídá shuō: "Wǒmen yǒu huà yào gàosù nǐ. Dànshì, xiān gàosù wǒmen, zhè sì gè héshang cóng nǎlǐ lái?"

"Tāmen shuō, tāmen láizì xiàng dōng yí wàn lǐ yuǎn de Zhōngguó de Táng dìguó." Guówáng huídá shuō. "Tāmen zhèngzài xiàng xī qù Yìndù. Tāmen yāoqiú wǒmen qiānshǔ tāmen de tōngguān wénshū, wǒmen tóngyì le, xīwàng hé Táng dìguó yǒu hǎo de guānxi."

Nà sān gè shénxiān xiào le. Húlì Shénxiān shuō: "Wǒ bìxū gàosù nǐ zuótiān fāshēng le shénme. Zhèxiē héshang yì lái dào wǒmen de chéngshì, jiù zài dōng mén wài shā sǐ le wǒmen de liǎng gè tú

但是就在这时，三个道教神仙来了。他们没有被邀请就走进宝座房间。国王向他们鞠躬。他们直直地站着，没有回叩头。国王对他们说："哦，大仙，我们没有想到今天能见到你们。你们为什么来？"

其中一位回答说："我们有话要告诉你。但是，先告诉我们，这四个和尚从哪里来？"

"他们说，他们来自向东一万里远的中国的<u>唐</u>帝国。"国王回答说。"他们正在向西去<u>印度</u>。他们要求我们签署他们的通关文书，我们同意了，希望和<u>唐</u>帝国有好的<u>关系</u>[39]。"

那三个神仙笑了。<u>虎力</u>神仙说："我必须告诉你昨天发生了什么。这些和尚一来到我们的城市，就在东门外杀死了我们的两个徒

---

[39] 关系　　　guānxì – relationship

dì. Ránhòu tāmen fàng le wǔbǎi gè fójiào héshang, zá huài le tāmen de xiǎochē. Ránhòu zuótiān wǎnshàng tāmen lái dào wǒmen de sìmiào. Tāmen biàn chéng le Sān Qīng de yàngzi, chī le wǒmen wèi Sān Qīng zhǔnbèi de suǒyǒu shíwù. Wǒmen yǐwéi tāmen shì zhēn de Sān Qīng, suǒyǐ wǒmen yāoqiú tāmen gěi wǒmen yìxiē jīnsè dān yào. Wǒmen xiǎng bǎ jīnsè dān yào gěi nǐ, ràng nǐ chángshēng. Dànshì tāmen gěi le wǒmen tāmen de niào, búshì jīnsè dān yào. Wǒmen hē le yìxiē kěpà de dōngxi hòu cái zhīdào zhège. Wǒmen xiǎng zhuā zhù tāmen, dàn tāmen táozǒu le. Wǒmen méiyǒu xiǎngdào tāmen hái gǎn liú zài wǒmen de chéngshì, dàn tāmen jiù zài zhèlǐ!"

Guówáng tīng dào zhè. Tā zhèng yào xià mìnglìng shā sǐ zhè sì gè yóurén. Dànshì Sūn Wùkōng hěn kuài shuō: "Bìxià, qǐng bié shēngqì, ràng zhège kělián de héshang shuōhuà."

"Shénme?" Guówáng shuō, "Nǐ shì zài shuō zhèxiē shèng xiān méiyǒu shuō zhēn huà ma?"

弟。然后他们放了五百个佛教和尚，砸坏了他们的小车。然后昨天晚上他们来到我们的寺庙。他们变成了<u>三清</u>的样子，吃了我们为<u>三清</u>准备的所有食物。我们以为他们是真的<u>三清</u>，所以我们要求他们给我们一些金色丹药。我们想把金色丹药给你，让你长生。但是他们给了我们他们的尿，不是金色丹药。我们喝了一些可怕的东西后才知道这个。我们想抓住他们，但他们逃走了。我们没有想到他们还敢留在我们的城市，但他们就在这里！"

国王听到这。他正要下命令杀死这四个游人。但是<u>孙悟空</u>很快说："陛下，请别生气，让这个可怜的和尚说话。"

"什么？"国王说，"你是在说这些圣仙没有说真话吗？"

Sūn Wùkōng kàndào guówáng yǒudiǎn tóunǎo bù qīngchǔ, bùshì hěn cōngmíng. Suǒyǐ, tā juédìng yào piàn guówáng. "Bìxià, tāmen shuō wǒmen shā le liǎng gè túdì. Dànshì méiyǒu zhèngrén. Rúguǒ zhè shì zhēn de, zhè zuìxíng yě zhǐ huì ràng wǒmen zhōng liǎng gè rén bèi shā, búshì sì gè rén. Ránhòu tāmen shuō wǒmen zá le chē. Yíyàng, méiyǒu zhèngrén. Rúguǒ zhè shì zhēn de, zhè yě búshì zhòng de zuìxíng, wǒ rènwéi wǒmen zhōng méiyǒu yígè rén yīnggāi bèi shā. Zuìhòu, tāmen shuō wǒmen zài tāmen de sìmiào zhōng zhǎo le máfan. Zhè hěn qīngchǔ jiùshì tāmen gěi wǒmen de xiànjǐng."

"Nǐ zěnme néng shuō zhè shì yígè xiànjǐng?"

"Bìxià, wǒmen shì cóng dōngfāng lái de yóurén. Wǒmen gāng dào. Wǒmen bù zhīdào nín de chéngshì, wǒmen bú rènshí zhè tiáo jiēdào hé nà tiáo jiēdào. Wǒmen zěnme néng zhīdào tāmen sìmiào de dìfāng, dào le wǎnshàng yěshì nàyàng? Rúguǒ zuótiān wǎnshàng

孙悟空看到国王有点头脑不清楚，不是很聪明。所以，他决定要骗国王。"陛下，他们说我们杀了两个徒弟。但是没有证人[40]。如果这是真的，这罪行[41]也只会让我们中两个人被杀，不是四个人。然后他们说我们砸了车。一样，没有证人。如果这是真的，这也不是重的罪行，我认为我们中没有一个人应该被杀。最后，他们说我们在他们的寺庙中找了麻烦。这很清楚就是他们给我们的陷阱[42]。"

"你怎么能说这是一个陷阱？"

"陛下，我们是从东方来的游人。我们刚到。我们不知道您的城市，我们不认识这条街道和那条街道。我们怎么能知道他们寺庙的地方，到了晚上也是那样？如果昨天晚上

---

[40] 证人   zhèngrén – witness
[41] 罪行   zuìxíng – crime
[42] 陷阱   xiànjǐng – trap

wǒmen zhēn de gěi le tāmen niào, búshì jīnsè dān
yào, wèishénme tāmen yào děngdào jīntiān zǎoshàng
zài gàosù nín? Xǔduō rén zhǎng dé hěn xiàng. Kěnéng
qítā rén gěi le tāmen niào, búshì wǒmen. Zhè jiàn shì
yìdiǎn dōu bù qīngchǔ. Wǒmen yāoqiú nín chénglì
yígè wěiyuánhuì, zài zuòchū rènhé juédìng qián, zǐxì
jiǎnchá zhè shì."

Xiànzài guówáng hěn kùnhuò. Tā bù zhīdào gāi zuò
shénme huò gāi shuō shénme. Dànshì dāng tā zhàn zài
nà'er shí, yí wèi dàchén jìnlái shuō: "Bìxià, xǔduō
cūnzhuāng de zhǎnglǎo zhèngzài děngzhe jiàn nín."
Guówáng huí dào tā de bǎozuò shàng, gàosù dàchén
bǎ tāmen dài jìnlái.

Zhǎnglǎo men jìnlái le. Tāmen dōu xiàng guówáng
kòutóu, tāmen zhōng de yígè rén shuō: "Bìxià, jīnnián
chūntiān méiyǒu xià yǔ. Wǒmen de nóngtián zhèn
gzài biàn chéng kāfēisè, wǒmen dānxīn hěn

我们真的给了他们尿，不是金色丹药，为什么他们要等到今天早上再告诉您？许多人长得很像。可能其他人给了他们尿，不是我们。这件事一点都不清楚。我们要求您成立[43]一个委员会[44]，在做出任何决定前，仔细检查这事。"

现在国王很困惑[45]。他不知道该做什么或该说什么。但是当他站在那儿时，一位大臣进来说："陛下，许多村庄的长老正在等着见您。"国王回到他的宝座上，告诉大臣把他们带进来。

长老们进来了。他们都向国王叩头，他们中的一个人说："陛下，今年春天没有下雨。我们的农田[46]正在变成咖啡色，我们担心很

---

[43] 成立　　chénglì – to set up
[44] 委员会　wěiyuánhuì – committee
[45] 困惑　　kùnhuò – confused
[46] 农田　　nóngtián - farmland

kuài jiù huì méiyǒu shíwù. Wǒmen qǐng sān gè shénxiān qídǎo xià yǔ, zhèyàng rénmen huì yǒu shíwù."

Guówáng duì Tángsēng shuō: "Xiànzài nǐ míngbai wǒmen wèishénme xǐhuān dàoshì, bú yòng fójiào tú le ma? Zài guòqù de jǐ nián zhōng, fójiào héshang qídǎo xià yǔ, dàn méiyǒu xià yǔ. Ránhòu, sān gè dàoshì shénxiān lái le, tāmen qídǎo xià yǔ, yǔ jiù lái le. Shénxiān jiù le wǒmen de chéngshì, fójiào tú shénme dōu méiyǒu zuò. Xiànzài nǐ lái dào zhèlǐ, gěi zhèxiē shénxiān dài lái máfan. Wǒ yīnggāi ràng rén shā le nǐ, dànshì wǒ yǒu yígè gèng hǎo de zhǔyì. Wǒmen yào zuò yì chǎng zào yǔ bǐsài. Rúguǒ nǐ dài lái yǔ, wǒ huì qiānshǔ nǐ de tōngguān wénshū, nǐ kěyǐ jìxù xīxíng. Rúguǒ nǐ shībài le, nǐmen suǒyǒu rén dōuhuì diūdiào nǐmen de tóu!"

Guówáng hé tā de dàchénmen pá shàng le yí zuò gāo tǎ de dǐng, kàn bǐsài. Sì gè yóurén hé sān gè shénxiān yě pá dào le tǎ dǐng. Hǔlì Shénxiān xiàng qián zǒu dào tā biān. Suǒyǒu biān shàng fàngzhe de qí

快就会没有食物。我们请三个神仙祈祷下雨，这样人们会有食物。”

国王对<u>唐僧</u>说：“现在你明白我们为什么喜欢道士，不用佛教徒了吗？在过去的几年中，佛教和尚祈祷下雨，但没有下雨。然后，三个道士神仙来了，他们祈祷下雨，雨就来了。神仙救了我们的城市，佛教徒什么都没有做。现在你来到这里，给这些神仙带来麻烦。我应该让人杀了你，但是我有一个更好的主意。我们要做一场造雨比赛。如果你带来雨，我会签署你的通关文书，你可以继续西行。如果你失败了，你们所有人都会<u>丢</u>[47]掉你们的头！”

国王和他的大臣们爬上了一座高塔的顶，看比赛。四个游人和三个神仙也爬到了塔顶。<u>虎力</u>神仙向前走到塔边。所有边上放着的旗

---

[47] 丢   diū – to lose

zi zài fēng zhōng piāoyáng, qízi shàng yǒu èrshíbā gè xīngsù de míngzì. Yǒu yì zhāng dà zhuōzi. Zhuō shàng fàngzhe yígè huǒpén, lǐmiàn shāozhe xiāng.

Sūn Wùkōng shuō: "Děng yíxià! Rúguǒ wǒmen liǎ dōu shìzhe dài lái yǔ, yǔ lái le, méi rén huì zhīdào shuí dài lái le yǔ. Wǒmen xūyào yì zhǒng bànfǎ lái zhīdào shuí yíng le bǐsài."

Húlì Shénxiān xiàozhe shuō: "Méi wèntí, xiǎo hóuzi. Wǒ zài zhè zhāng zhuōzi shàng qiāo wǔ cì. Dì yī cì fēng huì lái. Dì èr cì yún huì lái. Dì sān cì léidiàn hé léi huì lái. Dì sì cì yǔ huì lái. Dì wǔ cì yǔ huì tíng, yún huì líkāi."

"Fēicháng hǎo!" Sūn Wùkōng shuō. "Wǒ cónglái méiyǒu jiànguò zhège. Qǐng kāishǐ ba!"

Dàoshì dàshēng de qiāo zài zhuōzi shàng. Fēng kāishǐ qǐlái. "Ò, bù," Zhū shuō, "wǒmen xiànzài yǒu máfan

子在风中飘扬[48]，旗子上有二十八个星宿的名字。有一张大桌子。桌上放着一个火盆，里面烧着香。

孙悟空说："等一下！如果我们俩都试着带来雨，雨来了，没人会知道谁带来了雨。我们需要一种办法来知道谁赢了比赛。"

虎力神仙笑着说："没问题，小猴子。我在这张桌子上敲五次。第一次风会来。第二次云会来。第三次雷电和雷会来。第四次雨会来。第五次雨会停，云会离开。"

"非常好！"孙悟空说。"我从来没有[49]见过这个。请开始吧！"

道士大声地敲在桌子上。风开始起来。

"哦，不，"猪说，"我们现在有麻烦

---

48 飘扬　　　piāoyáng – to flutter, to fly in the wind
49 从来没有　cónglái méiyǒu – there has never been

le!"

"Ānjìng, xiōngdì," Sūn Wùkōng shuō. "Ràng wǒ gōngzuò." Tā bá chū yì gēn tóufà, zài shàngmiàn chuī le yíxià, biàn chéng le hóuzi de yàngzi. Nà zhī hóuzi zhànzhe bú dòng. Sūn Wùkōng de jīngshén fēi xiàng kōngzhōng. Tā dà hǎn: "Shuí shì zhèlǐ fùzé fēng de?"

Fēng Lǎo Fùrén chūxiàn le, shǒu lǐ názhe yígè zào fēng de dà dàizi. "Wǒ zào fēng," tā shuō, "nǐ shì shuí?"

"Wǒ shì Qí Tiān Dà Shèng, shì Tángsēng de túdì. Wǒmen zhèngzài xiàng xī xíngzǒu, qù Yìndù, zài Chēchí Guó tíngliú. Xiànzài, wǒ zhèngzài hé yí wèi dàoshì bǐsài. Tā xiǎng dài lái fēng. Wǒ yào nǐ bǎ fēng tíng le. Rúguǒ nǐ bù mǎshàng zuò, wǒ huì yòng wǒ de bàng dǎ nǐ èrshí cì!"

Fēng Lǎo Fùrén mǎshàng tíngzhǐ le fēng. Tái shàng, měi gè rén dōu kàndào fēng tíng le. Dàoshì shāo le xiē xiāng, zàicì qiāo zài zhuōzi

了！"

"安静，兄弟，"孙悟空说。"让我工作。"他拔出一根头发，在上面吹了一下，变成了猴子的样子。那只猴子站着不动。孙悟空的精神飞向空中。他大喊："谁是这里负责[50]风的？"

风老妇人出现了，手里拿着一个造风的大袋子。"我造风，"她说，"你是谁？"

"我是齐天大圣，是唐僧的徒弟。我们正在向西行走，去印度，在车迟国停留。现在，我正在和一位道士比赛。他想带来风。我要你把风停了。如果你不马上做，我会用我的棒打你二十次！"

风老妇人马上停止了风。塔上，每个人都看到风停了。道士烧了些香，再次敲在桌子

---

50 负责   fùzé – in charge

shàng, yún kāishǐ xíngchéng. Sūn Wùkōng zài tiānkōng zhōng zàicì dà hǎn: "Shuí dài lái yún?" Tuī Yún Nánhái hé Sàn Wù Nánhái xiàng tā zǒu lái. Tā gěi tāmen jiǎng le tóng yígè gùshi, gěi le tāmen yíyàng de mìnglìng. Tāmen mǎshàng zǔzhǐ le yún de xíngchéng, tàiyáng chūlái le.

Zài tǎ shàng, Zhū dàshēng xiàozhe shuō: "Zhè wèi lǎo dàoshì piàn le guówáng hé rénmen. Tā yìdiǎn mólì dōu méiyǒu. Kàn, méiyǒu fēng, tiānkōng zhōng méiyǒu yì duǒ yún!"

Dàoshì biàn dé yǒuxiē hàipà, dàn tā jìxù shìzhe zuò tā de mófǎ. Tā shuō le gèng duō de qídǎo, shāo le gèng duō de xiāng, dì sān cì qiāo le zhuōzi. Zài tiānkōng zhōng, Dèng Tiānjūn, Léi Wángzǐ hé Diàn Mǔ yìqǐ cóng nán tiānmén xiàlái. Dèng Tiānjūn shuō: "Yùhuáng Dàdì jiào wǒmen lái bāngzhù zào yǔ."

上，云开始形成[51]。孙悟空在天空中再次大喊："谁带来云？"推云男孩和散雾男孩向他走来。他给他们讲了同一个故事，给了他们一样的命令。他们马上阻止了云的形成，太阳出来了。

在塔上，猪大声笑着说："这位老道士骗了国王和人们。他一点魔力都没有。看，没有风，天空中没有一朵云！"

道士变得有些害怕，但他继续试着做他的魔法。他说了更多的祈祷，烧了更多的香，第三次敲了桌子。在天空中，邓天君[52]，雷王子和电母一起从南天门下来。邓天君说："玉皇大帝叫我们来帮助造雨。"

---

51 形成　　　xíngchéng – to form
52 邓天君　　Dèng Tiānjūn – Lord Deng, a Daoist deity, also known as the Statutory Commander of Scorching Fire. He has a red-haired bird head, wings, and eagle claws. He holds a drill in his left hand and a mallet in his right.

Sūn Wùkōng huídá: "Hěn hǎo, qǐng děng yíxià. Nǐmen kěyǐ zhào Yùhuáng Dàdì de mìnglìng zuò, dànshì kěyǐ tóngshí bāngzhù wǒ." Dèng Tiānjūn tóngyì le, tā tíngzhǐ le léi hé léidiàn.

Xiànzài, dàoshì biàn dé juéwàng le. Tā shāo diào le suǒyǒu liú xiàlái de xiāng, shuō le xiē qídǎo, dì sì cì qiāo le zhuōzi. Zài tiānkōng zhōng, Sìhǎi Lóngwáng dōu chūxiàn le. Dànshì tāmen dōu shì Sūn Wùkōng de lǎo péngyǒu. Tā xiàng tāmen wènhǎo, gàosù le tāmen tóng yígè gùshi. Tāmen tóngyì děngzhe, méiyǒu dài lái rènhé de yǔ.

Dèng Tiānjūn shuō: "Dà shèng, wǒmen yǐjīng zhào nǐ de yāoqiú wánchéng le suǒyǒu de shìqing. Xiànzài wǒmen huì děngzhe nǐ de mìnglìng."

Sūn Wùkōng huídá: "Xièxie. Wǒ huì bǎ wǒ de bàng xiàngshàng zhǐ wǔ cì. Měi cì wǒ yòng bàng zhǐ de shíhòu, dōuhuì gàosù nǐmen chuī dàfēng, ránhòu dài lái yún, ránhòu dài lái léi hé léidiàn,

孙悟空回答："很好，请等一下。你们可以照玉皇大帝的命令做，但是可以同时帮助我。"邓天君同意了，他停止了雷和雷电。

现在，道士变得绝望[53]了。他烧掉了所有留下来的香，说了些祈祷，第四次敲了桌子。在天空中，四海龙王都出现了。但是他们都是孙悟空的老朋友。他向他们问好，告诉了他们同一个故事。他们同意等着，没有带来任何的雨。

邓天君说："大圣，我们已经照你的要求完成了所有的事情。现在我们会等着你的命令。"

孙悟空回答："谢谢。我会把我的棒向上指五次。每次我用棒指的时候，都会告诉你们吹大风，然后带来云，然后带来雷和雷电，

---

[53] 绝望　　　　juéwàng – desperate

ránhòu dài lái yǔ, ránhòu tíngzhǐ xià yǔ." Suǒyǒu de tiānqì shén dōu tóngyì zhào tā de mìnglìng zuò.

Ránhòu tā fēi dào tǎ shàng, huí dào tā de shēntǐ. Tā duì dàoshì shuō: "Xiānshēng, nǐ yǐjīng shìguò dài lái fēng, yún, léi, léidiàn hé yǔ, dàn nǐ shībài le. Xiànzài ràng wǒ shì shi."

Dàoshì màn man líkāi zhuōzi, duì guówáng shuō: "Duìbùqǐ, bìxià, lóngwángmen jīntiān búzàijiā."

Sūn Wùkōng tīngdào le. Tā shuō: "Bìxià, lóngwángmen jīntiān shì zàijiā de. Dànshì nín de dàoshì péngyǒu méiyǒu zúgòu de mólì dài lái yǔ. Ràng zhège fójiào héshang shì shi!"

"Qǐng," guówáng shuō.

Sūn Wùkōng hěn ānjìng de duì Tángsēng shuō: "Hǎo, xiànzài shì nǐ dài lái yǔ de shíhòu le."

Tángsēng huídá: "Dànshì wǒ bù zhīdào rènhé guānyú xià yǔ de shì!"

然后带来雨，然后停止下雨。"所有的天气神都同意照他的命令做。然后他飞到塔上，回到他的身体。他对道士说："先生，你已经试过带来风，云，雷，雷电和雨，但你失败了。现在让我试试。"

道士慢慢离开桌子，对国王说："对不起，陛下，龙王们今天不在家。"

孙悟空听到了。他说："陛下，龙王们今天是在家的。但是您的道士朋友没有足够的魔力带来雨。让这个佛教和尚试试！"

"请，"国王说。

孙悟空很安静地对唐僧说："好，现在是你带来雨的时候了。"

唐僧回答："但是我不知道任何关于下雨的事！"

"Bié dānxīn. Nǐ zhīdào zěnme niànjīng. Zhǐyào qù nàlǐ shuō yìxiē fójiào qídǎo. Wǒ huì zhàogù hǎo suǒyǒu de shìqing."

Tángsēng niànzhe Xīnjīng. Dāng tā jiéshù shí, Sūn Wùkōng bǎ tā de bàng cóng tā de ěr zhōng qǔchū, bǎ tā zhǐxiàng tiānkōng, ránhòu bǎ tā jǔ qǐ yícì. Fēng Lǎo Fùrén kàndào le zhè. Tā dǎkāi tā de dàizi, fēng kāishǐ qǐlái. Tā biàn dé yuè lái yuè qiáng. Chuīguò chéngshì, huītǔ fēi qǐ, kōngqì lǐ dōu shì huītǔ wù. Dànshì tā bǐ huītǔ wù gāo.

Sūn Wùkōng dì èr cì jǔ qǐ tā de bàng. Tuī Yún Nánhái hé Sàn Wù Nánhái kànjiàn le, tāmen dài lái le hòu hòu de yún bèi. Yún bèi fēicháng shēn fēicháng hēi, chéngshì de báitiān biàn chéng le hēiyè. Tā dì sān cì jǔ qǐ tā de bàng. Léi Wángzǐ fāchū de léi shēng shì nàyàng de xiǎng, tā chǎo xǐng le yìbǎi lǐ dìfāng lǐ shuìjiào de dòngwù. Diàn Mǔ dài lái de léidiàn shì nàyàng de míngliàng, tā zhào liàng le tiānkōng, jiù xiàng yìtiáo lóng zài tiānshàng chuīchū huǒ. Zhè zuò chéng

"别担心。你知道怎么念经。只要去那里说一些佛教祈祷。我会照顾好所有的事情。"

唐僧念着心经。当他结束时，孙悟空把他的棒从他的耳中取出，把它指向天空，然后把它举起一次。风老妇人看到了这。她打开她的袋子，风开始起来。它变得越来越强。吹过城市，灰土飞起，空气里都是灰土雾。但是塔比灰土雾高。

孙悟空第二次举起他的棒。推云男孩和散雾男孩看见了，他们带来了厚[54]厚的云被。云被非常深非常黑，城市的白天变成了黑夜。他第三次举起他的棒。雷王子发出的雷声是那样的响，它吵醒了一百里地方里睡觉的动物。电母带来的雷电是那样的明亮，它照亮了天空，就像一条龙在天上吹出火。这座城

---

[54] 厚   hòu – thick (for sheets and other flat things)

shì de rénmen hàipà le. Tāmen shāo xiāng hé zhǐqián.

Xiànzài, hóu wáng dì sì cì jǔ qǐ bàng, sì wèi lóngwáng dài lái le yǔ. Yǔ xià dé fēicháng dà, hǎoxiàng zhěnggè Chángjiāng de shuǐ dōu dào zài le zhè zuò chéngshì shàng. Suǒyǒu de jiēdào dōu bèi shuǐ yānmò le. Guówáng shuō: "Qǐng tíngzhǐ xià yǔ. Wǒmen yǒu zúgòu de yǔ le! Wǒ pà tā huì huǐhuài nóngfūmen nóngtián lǐ de zhuāngjia!" Sūn Wùkōng dì wǔ cì jǔ qǐ bàng. Yǔ tíng le. Léi shēng hé léidiàn tíngzhǐ le. Fēng tíng le. Yún piāo zǒu le, tàiyáng yòu huí dào le tiānkōng zhōng.

Guówáng duì zhè gǎndào fēicháng gāoxìng. Tā zhèng zhǔnbèi qiānshǔ tōngguān wénshū, bǎ tā fāsòng chūqù. Dànshì dàoshìmen hěn shēngqì. Tāmen shuō: "Bìxià, zhè yǔ búshì nàxiē fójiào héshang dài lái de. Tā láizì wǒmen de lìliàng, búshì tāmen de lìliàng."

市的人们害怕了。他们烧香和纸钱。

现在，猴王第四次举起棒，四位龙王带来了雨。雨下得非常大，好像整个⁵⁵长江的水都倒在了这座城市上。所有的街道都被水淹没⁵⁶了。国王说："请停止下雨。我们有足够的雨了！我怕它会毁坏农夫们农田里的庄稼！"孙悟空第五次举起棒。雨停了。雷声和雷电停止了。风停了。云飘走了，太阳又回到了天空中。

国王对这感到非常高兴。他正准备签署通关文书，把它发送出去。但是道士们很生气。他们说："陛下，这雨不是那些佛教和尚带来的。它来自我们的力量⁵⁷，不是他们的力量。"

---

55 整个   zhěnggè – entire
56 淹没   yānmò – flood
57 力量   lìliàng – power, strength

91

"Nǐ zěnme néng zhème shuō ne?" Guówáng huídá dào. "Nǐ gānggāng shuō lóngwáng búzàijiā. Dànshì fójiào héshang ràng wǒmen kàndào lóngwáng zài zhèlǐ, tāmen dài lái le yǔ."

Húlì Shénxiān shuō: "Nǐ bìxū jì zhù, shì wǒ xiān qídǎo hé shāo le xiāng. Nà shí, lóngwáng hé qítā tiānqì shén yídìng zài qítā dìfāng hěn máng. Tāmen yòng zuì kuài de shíjiān lái le. Shì wǒ de qídǎo bǎ tāmen dài lái le, búshì zhège hěn bèn de fójiào héshang."

Guówáng zàicì biàn dé kùnhuò. Tā bù zhīdào gāi zěnme xiǎng. Sūn Wùkōng xiàozhe shuō: "Bìxià, zhè wèi lǎo dàoshì yòu zài gēn nǐ jiǎng gùshi le. Dàn nín yīnggāi hěn róngyì zhīdào tā shì búshì zài shuō zhēn huà. Tā shuō, tā mìnglìng sì wèi lóngwáng dài lái le yǔ. Suǒyǐ, ràng tā mìnglìng nàxiē lóng zìjǐ chūxiàn!"

"Wǒ zài bǎozuò shàng zuò le èrshísān nián," guówáng huídá shuō, "dàn wǒ cónglái méiyǒu jiàn guò huó de lóng!" Ránhòu tā mìnglìng dàoshì bǎ lóng dài lái. Dàoshì jiào le lóng, dàn tāmen jiù

"你怎么能这么说呢？"国王回答道。"你刚刚说龙王不在家。但是佛教和尚让我们看到龙王在这里，他们带来了雨。"

虎力神仙说："你必须记住，是我先祈祷和烧了香。那时，龙王和其他天气神一定在其他地方很忙。他们用最快的时间来了。是我的祈祷把他们带来了，不是这个很笨的佛教和尚。"

国王再次变得困惑。他不知道该怎么想。孙悟空笑着说："陛下，这位老道士又在跟你讲故事了。但您应该很容易知道他是不是在说真话。他说，他命令四位龙王带来了雨。所以，让他命令那些龙自己出现！"

"我在宝座上坐了二十三年，"国王回答说，"但我从来没有见过活的龙！"然后他命令道士把龙带来。道士叫了龙，但他们就

shì bù huídá tā. Tiānshàng méiyǒu lóng. Ránhòu guówáng zhuǎnxiàng Sūn Wùkōng shuō: "Nǐ néng zuò zhè ma?"

"Dāngrán!" Sūn Wùkōng shuō. Tā bǎ liǎn zhuǎnxiàng tiānkōng, hǎn dào: "Xīhǎi de Áorùn Lóngwáng! Wǒ qǐng nǐ hé nǐ de sān gè xiōngdì dōu chūxiàn!"

Suǒyǒu sì wèi lóngwáng dōu chūxiàn zài chéngshì shàng de tiānkōng zhōng. Tāmen zài chéngshì shàngkōng tiàowǔ, tāmen de shēntǐ xiàng jìngzi yíyàng zài tiānkōng zhōng fāguāng. Sūn Wùkōng děng le yīhuǐ'er, ránhòu xiàng tāmen hǎn dào: "Xièxie nǐmen, lóngwáng hé tiānqì shén. Nǐmen dōu kěyǐ huí jiā le. Guówáng huì lìng xuǎn yìtiān wèi nǐmen zuò yígè tèbié de qídǎo." Lóng huí dào le tāmen de dàhǎi, tiānqì shén zǒu le, tiānkōng yòu fàng qíng le.

是不回答他。天上没有龙。然后国王转向孙悟空说："你能做这吗？"

"当然！"孙悟空说。他把脸转向天空，喊道："西海的敖闰龙王！我请你和你的三个兄弟都出现！"

所有四位龙王都出现在城市上的天空中。他们在城市上空跳舞，他们的身体像镜子一样在天空中发光。孙悟空等了一会儿，然后向他们喊道："谢谢你们，龙王和天气神。你们都可以回家了。国王会另选一天为你们做一个特别的祈祷。"龙回到了他们的大海，天气神走了，天空又放晴了。

Dì 46 Zhāng

Nàtiān wǎn xiē shíhòu, guówáng qiānshǔ le Tángsēng de tōngguān wénshū. Tā zhǔnbèi bǎ tā gěi Tángsēng, dàn jiù zài nà shí, sān wèi dàoshì shénxiān yòu jìnlái le.

"Nǐmen xiànzài xiǎng yào shénme?" Guówáng wèn.

"Bìxià, wǒmen zài nǐ de wángguó shēnghuó le èrshí nián. Wǒmen dài lái le yǔ, wǒmen bǎohù le nǐ hé nǐ de guórén. Xiànzài, zhège xíng sēng lái le, ràng nǐ kàn le yìdiǎn mófǎ, nǐ zhǔnbèi huí dào fójiào, wàngjì wǒmen ma? Nǐ zěnme néng zhèyàng duì wǒmen? Wǒmen yāoqiú zàilái yícì bǐsài, kàn kan shuí de mólì gēng qiáng."

Zhè wèi guówáng de tóunǎo bù qiáng. Tā hěn nán zuò chū juédìng, tā zǒng shì tóngyì zuìhòu yígè hé tā shuōhuà de rén. Suǒyǐ, tā bǎ tōngguān wénshū fàng zài yìbiān, wèn dào: "Nǐmen xiǎng yào zěnme bǐsài?"

第 46 章

那天晚些时候，国王签署了<u>唐僧</u>的通关文书。他准备把它给<u>唐僧</u>，但就在那时，三位道士神仙又进来了。

"你们现在想要什么？"国王问。

"陛下，我们在你的王国生活了二十年。我们带来了雨，我们保护了你和你的国人。现在，这个行僧来了，让你看了一点魔法，你准备回到佛教，忘记我们吗？你怎么能这样对我们？我们要求再来一次比赛，看看谁的魔力更强。"

这位国王的头脑不强。他很难做出决定，他总是同意最后一个和他说话的人。所以，他把通关文书放在一边，问道："你们想要怎么比赛？"

"Wǒmen jiào tā Yúntī Bǐsài. Wǒmen xūyào yìbǎi zhāng zhuōzi. Zào liǎng zuò tǎ, měi zuò tǎ yǒu wǔshí zhāng zhuōzi, yì zhāng fàng zài lìng yì zhāng de shàngmiàn. Wǒ huì pá shàng yízuò tǎ dǐng, zhǐ yòng yì duǒ yún, búyòng shǒu huò tīzi. Fójiào tú yào yòng yíyàng de bànfǎ pá shàng lìng yízuò tǎ. Ránhòu wǒmen dōu jìng xiǎng. Jìng xiǎng shíjiān zuì cháng de rén jiù huì yíngdé bǐsài."

Guówáng xǐhuān zhège zhǔyì. Tā gàosù tā de gōngrén zhǎodào yìbǎi zhāng zhuōzi, zài yuànzi lǐ zuò chéng liǎng zuò tǎ. Ránhòu, tā ràng tā de yí wèi dàchén xiàng sì wèi yóurén shuō le zhège bǐsài.

Sūn Wùkōng duì zhè bù mǎnyì. Tā shuō: "Wǒ zá dōngxi zá dé hěn hǎo. Dànshì wǒ bú huì jìng xiǎng. Wǒ bùnéng cháng shíjiān zuòzhe bú dòng. Wǒ pà wǒ huì shū le zhè chǎng bǐsài."

"Wǒ kěyǐ jìng xiǎng!" Tángsēng shuō.

"Tài hǎo le!" Sūn Wùkōng huídá. "Nǐ kěyǐ zuò duōjiǔ?"

"Ò, zhìshǎo liǎng, sān nián."

"我们叫它云梯比赛。我们需要一百张桌子。造两座塔，每座塔有五十张桌子，一张放在另一张的上面。我会爬上一座塔顶，只用一朵云，不用手或梯子。佛教徒要用一样的办法爬上另一座塔。然后我们都静想。静想时间最长的人就会赢得比赛。"

国王喜欢这个主意。他告诉他的工人找到一百张桌子，在院子里做成两座塔。然后，他让他的一位大臣向四位游人说了这个比赛。

孙悟空对这不满意。他说："我砸东西砸得很好。但是我不会静想。我不能长时间坐着不动。我怕我会输了这场比赛。"

"我可以静想！"唐僧说。

"太好了！"孙悟空回答。"你可以坐多久？"

"哦，至少两、三年。"

"Wǒmen bù xūyào nàme cháng shíjiān."

Bùjiǔ, suǒyǒu de yóurén hé dàoshì dōu lái dào le yuànzi lǐ de liǎng zuò tǎ pángbiān. Hǔlì Shénxiān tiào shàng le kōngzhōng. Yún zài tā jiǎoxià xíngchéng, tā cóng kōngzhōng xiàngshàng. Dāng tā dào le tǎ dǐng shí, tā cóng yún shàng zǒu xià, zǒu dào le zuìgāo de zhuōzi shàng. Tā zuò xiàlái kāishǐ jìng xiǎng.

Sūn Wùkōng biàn chéng le wǔsè yún. Yún zài Tángsēng pángbiān de dìshàng. Héshang zhàn zài yún shàng, yún bǎ tā dài dào lìng yízuò tǎ de dǐng shàng. Tángsēng zǒu xià yún, zuò le xiàlái, yě kāishǐ jìng xiǎng.

Xiànzài, Lùlì Shénxiān juédìng bāng yíxià tā de xiōngdì. Tā cóng tóu shàng bá le yì gēn tóufà, chuī le yíxià. Tā piāo dào le Tángsēng zuò de tǎ dǐng. Tā diào zài Tángsēng de tóu shàng, biàn chéng le yì zhī chóng. Chóng kāishǐ yǎo Tángsēng de tóu. Tángsēng hěn xiǎng zhuā tā de tóu, dàn tā zhīdào, rúguǒ tā dòng le tā de shǒu, tā jiù huì shū le bǐsài.

"我们不需要那么长时间。"

不久，所有的游人和道士都来到了院子里的两座塔旁边。虎力神仙跳上了空中。云在他脚下形成，他从空中向上。当他到了塔顶时，他从云上走下，走到了最高的桌子上。他坐下来开始静想。

孙悟空变成了五色云。云在唐僧旁边的地上。和尚站在云上，云把他带到另一座塔的顶上。唐僧走下云，坐了下来，也开始静想。

现在，鹿力神仙决定帮一下他的兄弟。他从头上拔了一根头发，吹了一下。它飘到了唐僧坐的塔顶。它掉在唐僧的头上，变成了一只虫。虫开始咬唐僧的头。唐僧很想抓他的头，但他知道，如果他动了他的手，他就会输了比赛。

Sūn Wùkōng kàndào tā de shīfu yǒu máfan. Tā biàn chéng le yì zhī xīshuài, fēi dào le Tángsēng zuò de tǎ dǐng. Tā kàndào Tángsēng tóu shàng de chóng. Tā gǎn zǒu le chóng. Ránhòu tā yòng tā de xiǎotuǐ bāng Tángsēng zhuā tóu, tíngzhǐ le yǎng.

Sūn Wùkōng zhīdào, chóng shì bù kěnéng fēi dào tǎ dǐng. Tā bìxū shì yí wèi dàoshì zuò de. Suǒyǐ tā fēi dào le lìng yízuò tǎ, zài jìng xiǎng dàoshì de shàngfāng. Tā biàn chéng le yìtiáo qī cùn cháng de wúgōng. Wúgōng diào zài dàoshì de liǎn shàng, zài tā de shàngchún shàng yǎo le yí dà kǒu. Dàoshì tiào le qǐlái, cóng tǎ shàng diào xiàlái. Dāng tā lái dào dìmiàn shí, tā de péngyǒumen jiē zhù le tā. Tāmen bǎ tā dài zǒu, guówáng xuānbù Tángsēng yíng le bǐsài.

Dànshì zài guówáng ràng yóurén zǒu zhī qián, Lùlì Shénxiān duì tā shuō: "Bìxià, wǒ de gēge yǒushí zài lěng hé yǒu fēng de tiān

孙悟空看到他的师父有麻烦。他变成了一只蟋蟀[58]，飞到了唐僧坐的塔顶。他看到唐僧头上的虫。他赶走了虫。然后他用他的小腿帮唐僧抓头，停止了痒[59]。

孙悟空知道，虫是不可能飞到塔顶。它必须是一位道士做的。所以他飞到了另一座塔，在静想道士的上方。他变成了一条七寸长的蜈蚣[60]。蜈蚣掉在道士的脸上，在他的上唇上咬了一大口。道士跳了起来，从塔上掉下来。当他来到地面时，他的朋友们接住了他。他们把他带走，国王宣布[61]唐僧赢了比赛。

但是在国王让游人走之前，鹿力神仙对他说："陛下，我的哥哥有时在冷和有风的天

---

58 蟋蟀　　 xīshuài – cricket
59 痒　　　 yǎng – itch
60 蜈蚣　　 wúgōng – centipede
61 宣布　　 xuānbù – to declare, to announce

qì zhōng huì yǒudiǎn wèntí. Zhè jiùshì wèishénme tā méiyǒu bànfǎ yíngdé zhè cì jìng xiǎng bǐsài. Qǐng ràng wǒmen jǔxíng dì èr chǎng bǐsài. Wǒmen jiào tā Cáng Wù bǐsài. Zhège kělián de dàoshì kěyǐ kàndào cáng zài mùbǎn hòumiàn de dōngxi. Ràng wǒmen kàn kan xíng sēng shì búshì kěyǐ zuò dào zhè yìdiǎn."

Guówáng zàicì gǎndào kùnhuò, suǒyǐ tā tóngyì zàilái yì chǎng bǐsài. Tā yào wánghòu bǎ guìzhòng de dōngxi fàng jìn yígè hóng qī xiāngzi lǐ, ránhòu xiāngzi bèi dài dào yuànzi lǐ. Tā shuō: "Ràng liǎng fāngmiàn de rén dōu cāi cai xiāngzi lǐ yǒu shénme bǎobèi."

Tángsēng duì Sūn Wùkōng shuō: "Túdì, wǒ bù zhīdào zěnme kàndào zhè xiāngzi de lǐmiàn!"

"Búyòng dānxīn, shīfu," Sūn Wùkōng huídá. "Wǒ kàn kan, gàosù nǐ lǐmiàn yǒu shénme." Tā biàn chéng le yì zhī xī

气中会有点问题。这就是为什么他没有办法赢得这次静想比赛。请让我们举行第二场比赛。我们叫它藏物比赛。这个可怜的道士可以看到藏在木板后面的东西。让我们看看行僧是不是可以做到这一点。"

国王再次感到困惑，所以他同意再来一场比赛。他要王后把贵重的东西放进一个红漆[62]箱子里，然后箱子被带到院子里。他说："让两方面的人都猜[63]猜箱子里有什么宝贝。"

唐僧对孙悟空说："徒弟，我不知道怎么看到这箱子的里面！"

"不用担心，师父，"孙悟空回答。"我看看，告诉你里面有什么。"他变成了一只蟋

---

[62] 漆   qī – lacquered
[63] 猜   cāi – to guess

shuài, zài xiāngzi dǐ shàng fāxiàn le yìtiáo xiǎo lièfèng.

Tā jìn le xiāngzi, fāxiàn bǎobèi shì yí jiàn měilì de wánggōng cháng yī. Tā yǎo le zuǐchún, zài cháng yī shàng tǔ le yìdī xuě, yòng tā de mófǎ bǎ cháng yī biàn chéng le yí jiàn jiù sēngyī. Ránhòu zhǐshì wèi le hǎowán, tā biàn chéng le yì zhī māo, zài cháng yī shàngmiàn niào niào. Ránhòu tā biàn huí dào xīshuài, líkāi le xiāngzi, fēi dào Tángsēng de ěrduo biān. Tā dī shēng shuō: "Nà shì yí jiàn jiù sēngyī."

"Zěnmeyàng?" Guówáng wèn. "Xiāngzi lǐ yǒu shénme?"

"Nà shì yí jiàn měilì de wánggōng cháng yī," Lùlì Shénxiān shuō.

"Bù, bù, bù," Tángsēng huídá. "Nà shì yī jiàn jiù sēngyī."

"Nǐ zěnme gǎn zhèyàng!" guówáng dà hǎn. "Nǐ rènwéi wǒ

蟀，在箱子底上发现了一条小**裂缝**[64]。他进了箱子，发现宝贝是一件美丽的王宫长衣。他咬了嘴唇，在长衣上吐了一滴血，用他的魔法把长衣变成了一件旧僧衣。然后只是为了好玩，他变成了一只猫，在长衣上面尿尿。然后他变回到蟋蟀，离开了箱子，飞到<u>唐僧</u>的耳朵边。他低声说："那是一件旧僧衣。"

"怎么样？"国王问。"箱子里有什么？"

"那是一件美丽的王宫长衣，"<u>鹿力</u>神仙说。

"不，不，不，"<u>唐僧</u>回答。"那是一件旧僧衣。"

"你怎么敢这样！"国王大喊。"你认为我

---

[64] 裂缝　　　　lièfèng – crack

107

men de wángguó lǐ méiyǒu bǎobèi ma?"

Tángsēng hěn hàipà, tā huídá shuō: "Bìxià, nín dīxià de héshang qiú nín děngzhe, kàn kan wǒ de huà shì búshì duì!" Ránhòu tā jǐnzhāng de děngzhe xiāngzi dǎkāi. Lǐmiàn shì yí jiàn jiù sēngyī, wénqǐlái xiàng māo niào.

Xiànzài guówáng hé wánghòu dōu hěn shēngqì. Wánghòu shēngqì, shì yīnwèi tā měilì de wánggōng cháng yī yǐjīng biàn chéng le suì bù, guówáng shēngqì, shì yīnwèi zài tā de gōngdiàn zhōng fāxiàn le zhème jiù de zāng dōngxi. Tā shuō: "Wǒmen hái yào zài jǔxíng yì chǎng bǐsài. Zhè cì, wǒ huì zìjǐ bǎ dōngxi cáng qǐlái." Tā ràng liǎng gè púrén bǎ xiāngzi bān dào huāyuán lǐ. Zài nà'er, tā fāxiàn le yígè hěn dà de táozi, yǒu liǎng gè quántóu nàyàng dà, tā bǎ tā fàng jìn xiāngzi. Tāmen huí dào le yuànzi lǐ.

Sūn Wùkōng zàicì biàn chéng xīshuài, jìn le xiāngzi. Tā hěn gāoxìng zhǎodào le táozi. Tā bǎ shuǐguǒ dōu chī le, zhǐ liú xià yígè

们的王国里没有宝贝吗？"

唐僧很害怕，他回答说："陛下，您低下的和尚求您等着，看看我的话是不是对！"然后他紧张[65]地等着箱子打开。里面是一件旧僧衣，闻起来像猫尿。

现在国王和王后都很生气。王后生气，是因为她美丽的王宫长衣已经变成了碎布，国王生气，是因为在他的宫殿中发现了这么旧的脏东西。他说："我们还要再举行一场比赛。这次，我会自己把东西藏起来。"他让两个仆人把箱子搬到花园里。在那儿，他发现了一个很大的桃子，有两个拳头那样大，他把它放进箱子。他们回到了院子里。

孙悟空再次变成蟋蟀，进了箱子。他很高兴找到了桃子。他把水果都吃了，只留下一个

---

65 紧张　　　　jǐnzhāng – nervous, tense

109

hé. Ránhòu tā líkāi le xiāngzi, fēi dào Tángsēng de ěrduo biān, gàosù tā lǐmiàn yǒu yígè táozi hé.

Guówáng yòu wèn le xiāngzi lǐ yǒu shénme. Dàoshì shuō: "Xiāngzi lǐmiàn shì yígè dà táozi."

Tángsēng shuō: "Bù, bìxià, xiāngzi lǐ zhǐyǒu yígè táozi hé."

Tāmen dǎkāi le xiāngzi, dāngrán zhǐyǒu yígè táozi hé. Guówáng yáo le yáo tóu, shuō: "Wǒ zìjǐ bǎ táozi fàng zài xiāngzi lǐ. Zhēn de, zhège fójiào héshàng yǒu fēicháng qiángdà de mólì."

"Shì de," Hǔlì Shénxiān shuō, "tā shì yǒuxiē mólì. Dànshì, zhèxiē zhǐshì xiǎo piànshù. Wǒmen xīwàng hé tāmen jǔxíng zuìhòu yì chǎng bǐsài. Wǒmen yào nǐ kǎn le wǒmen de tóu."

核[66]。然后他离开了箱子，飞到唐僧的耳朵边，告诉他里面有一个桃子核。

国王又问了箱子里有什么。道士说："箱子里面是一个大桃子。"

唐僧说："不，陛下，箱子里只有一个桃子核。"

他们打开了箱子，当然只有一个桃子核。国王摇了摇头，说："我自己把桃子放在箱子里。真的，这个佛教和尚有非常强大的魔力。"

"是的，"虎力神仙说，"他是有些魔力。但是，这些只是小骗术[67]。我们希望和他们举行最后一场比赛。我们要你砍了我们的头。"

---

[66] 核　　　　hé – pit (of a fruit), nucleus
[67] 骗术　　　piànshù – trick

"Dànshì nà yìsi yídìng shì sǐ!" Guówáng kū jiàozhe.

"Bùshì wǒmen. Kěnéng shì zhèxiē héshang," shénxiān huídá.

Sūn Wùkōng tīngdào zhè xiào le. "Zhè shì wǒ hǎo yùnqì de rìzi!" tā shuō. "Kànqǐlái shēngyì yǐjīng dào le wǒjiā ménkǒu!" Zhuǎnxiàng guówáng, tā shuō: "Bìxià, yīnwèi wǒmen yíng le qián sān chǎng bǐsài zhōng de měi yì chǎng, suǒyǐ qǐng tóngyì wǒmen biàn yíxià zuìhòu yì chǎng bǐsài de guīzé. Wǒ xīwàng zìjǐ yí gè rén cānjiā zhè chǎng bǐsài. Wǒ tóngyì bǎ wǒ de tóu kǎn le. Duì dàoshì lái shuō, tāmen měi gè rén de tóu yě dōu yào bèi kǎn diào. Nín tóngyì ma?"

Guówáng tóngyì le. Sūn Wùkōng bèi shéngzi kǔnzhe, tā de tóu bèi fàng zài yí kuài mùtou shàng. Sānqiān míng shìbīng zhàn zài nàlǐ. Guìzishǒu jǔ qǐ fǔtóu, ránhòu fǔtóu diào zài hóuzi de bó

"但是那意思一定是死！"国王哭叫着。

"不是我们。 可能是这些和尚，"神仙回答。

孙悟空听到这笑了。"这是我好运气的日子！"他说。"看起来生意已经到了我家门口！"转向国王，他说："陛下，因为我们赢了前三场比赛中的每一场，所以请同意我们变一下最后一场比赛的规则[68]。我希望自己一个人参加这场比赛。我同意把我的头砍了。对道士来说，他们每个人的头也都要被砍掉。您同意吗？"

国王同意了。孙悟空被绳子捆着，他的头被放在一块木头上。三千名士兵站在那里。刽子手[69]举起斧头，然后斧头掉在猴子的脖

---

[68] 规则　　　guīzé – rule
[69] 刽子手　　guìzishǒu – executioner, hangman

zi shàng. Tā de tóu diào xiàlái, gǔn zài dìshàng.

Guìzishǒu tī le yíxià tou, tā gǔn kāi le. Dāngtóu gǔn kāi shí, tā hǎn dào: "Zhǎng!" Sūn Wùkōng de bózi shàng zhǎng chū le yígè xīn de tóu.

Xiànzài guówáng fēicháng hàipà. Tā gàosù Tángsēng hé sān gè túdì líkāi tā de chéngshì, zài yě bùyào huílái. Dànshì Sūn Wùkōng shuō: "Wǒmen hěn yuànyì líkāi, dànshì bǐsài hái méiyǒu jiéshù. Zhè sān gè dàoshì yě bìxū diūdiào tāmen de tóu."

Sān gè dàojiào shénxiān bèi kǔn le qǐlái. Sān gè guìzishǒu tóngyī shíjiān yòng sān bǎ fǔtóu kǎn xià le tóu, sān gè tóu yánzhe dìmiàn gǔnzhe. Dàoshì de sān gè shēntǐ dōu zài jiào tāmen de tóu huílái, dàn Sūn Wùkōng zài sān gēn tóufà shàng chuī qì, bǎ tāmen biàn chéng le sān zhī gǒu. Gǒu zhuā zhù le sān zhī tóu, ránhòu dàizhe tāmen táopǎo le. Dàoshìmen bùnéng bǎ tāmen de tóu dài huílái. Yì fēnzhōng hòu, xuě cóng tāmen de bózi shàng liúchū, tāmen sǐ

子上。他的头掉下来，滚[70]在地上。 刽子手踢[71]了一下头，它滚开了。当头滚开时，它喊道："长！"孙悟空的脖子上长出了一个新的头。

现在国王非常害怕。他告诉唐僧和三个徒弟离开他的城市，再也不要回来。但是孙悟空说："我们很愿意离开，但是比赛还没有结束。这三个道士也必须丢掉他们的头。"

三个道教神仙被捆了起来。三个刽子手同一时间用三把斧头砍下了头，三个头沿着地面滚着。道士的三个身体都在叫他们的头回来，但孙悟空在三根头发上吹气，把它们变成了三只狗。狗抓住了三只头，然后带着它们逃跑了。道士们不能把他们的头带回来。一分钟后，血从他们的脖子上流出，他们死

---

[70] 滚　　　　gǔn – to roll
[71] 踢　　　　tī – to kick

le. Tāmen de shēntǐ biàn le. Yígè shì méiyǒu tóu de huáng hǔ, yígè shì méiyǒu tóu de bái lù, yígè shì méiyǒu tóu de huī yáng.

Guówáng kàndào sān gè shénxiān sǐ le. Tā guì le xiàlái, bù tíng de kūzhe. Sūn Wùkōng tīng le yīhuǐ'er, ránhòu duì guówáng dà hǎn: "Nín zěnme zhème bèn? Zhèxiē búshì dàojiào shénxiān, tāmen shì móguǐ! Nín kàn bù chūlái ma? Tāmen zhǐshì děngzhe nín de lìliàng xūruò, ránhòu tāmen bǎ nín shā sǐ, jiēguǎn nín de wángguó. Nín yùnqì hěn hǎo, wǒmen lái dào zhèlǐ, jiù le nín de shēngmìng, jiù le nín de wángguó. Dànshì nín kàn bú dào. Méi wèntí, zhǐyào gěi wǒmen wǒmen de tōngguān wénshū, wǒmen jiù kěyǐ shànglù le."

Guówáng de chéngxiàng shuō: "Bìxià, hóuzi shì duì de. Zhèxiē shì móguǐ, búshì dàoshì."

Guówáng shuō: "Zhèyàng dehuà, wǒmen gǎnxiè Tángsēng hé tā de

了。他们的身体变了。一个是没有头的黄虎，一个是没有头的白鹿，一个是没有头的灰羊。

国王看到三个神仙死了。他跪了下来，不停地哭着。孙悟空听了一会儿，然后对国王大喊："您怎么这么笨？这些不是道教神仙，他们是魔鬼！您看不出来吗？他们只是等着您的力量虚弱，然后他们把您杀死，接管[72]您的王国。您运气很好，我们来到这里，救了您的生命，救了您的王国。但是您看不到。没问题，只要给我们我们的通关文书，我们就可以上路了。"

国王的丞相说："陛下，猴子是对的。这些是魔鬼，不是道士。"

国王说："这样的话，我们感谢唐僧和他的

---

[72] 接管　　　jiēguǎn – to take over

túdì. Qǐng jīn wǎn zài fó miào xiūxi. Míngtiān wǒmen huì wèi nǐmen jǔxíng yígè hěn dà de sùshí yànhuì, nǐmen kěyǐ jìxù nǐmen de xīxíng."

Dì èr tiān, guówáng wèi sì wèi yóurén jǔxíng le yígè dà yànhuì. Tā xuānbù fójiào héshang kěyǐ ānquán huí dào zhè zuò chéngshì. Wǔbǎi míng héshang huílái le. Tāmen bǎ xiǎoduàn hóuzi máo huán gěi le Sūn Wùkōng, gǎnxiè tā jiù le tāmen de shēngmìng.

Sūn Wùkōng zhàn qǐlái, duì guówáng hé rénmen shuō: "Wǒ bìxū chéngrèn. Wǒ fàng le zhè wǔbǎi míng héshang. Wǒ zá le chē. Wǒ shā le dàmén wài liǎng gè dàoshì. Wǒ zuò le zhèxiē shìqing shì wèi le cóng sān gè móguǐ nàlǐ jiù nǐmen de chéngshì. Cóng xiànzài kāishǐ, qǐng jì zhù fó de huà. Búyào xiāngxìn biérén de jiǎ huà. Yě qǐng jì zhù zūnjìng fójiào héshang, zūnjìng dàoshì, zūnjìng yǒu cáinéng hé cōngmíng de rén. Zuò dào zhèxiē, nǐmen de wángguó jiù huì ānquán."

徒弟。请今晚在佛庙休息。明天我们会为你们举行一个很大的素食宴会，你们可以继续你们的西行。"

第二天，国王为四位游人举行了一个大宴会。他宣布佛教和尚可以安全回到这座城市。五百名和尚回来了。他们把小段猴子毛还给了<u>孙悟空</u>，感谢他救了他们的生命。

<u>孙悟空</u>站起来，对国王和人们说："我必须承认[73]。我放了这五百名和尚。我砸了车。我杀了大门外两个道士。我做了这些事情是为了从三个魔鬼那里救你们的城市。从现在开始，请记住佛的话。不要相信别人的假[74]话。也请记住尊敬佛教和尚，尊敬道士，尊敬有才能和聪明的人。做到这些，你们的王国就会安全。"

---

[73] 承认　　chéngrèn – to confess, to admit
[74] 假　　　jiǎ – false

Guówáng tóngyì. Tā zàicì gǎnxiè sì wèi yǒurén, bǎ
tōngguān wénshū gěi le Tángsēng. Ránhòu, Tángsēng
hé sān gè túdì líkāi le zhè zuò chéngshì, jìxù xīxíng.

国王同意。他再次感谢四位游人，把通关文书给了<u>唐僧</u>。然后，<u>唐僧</u>和三个徒弟离开了这座城市，继续西行。

The Daoist Immortals

Chapter 44

Tangseng and his three disciples continued on their journey to the west. They traveled all winter, through cold wind and deep snow. They were no longer in China. After several years of traveling on the Silk Road they had arrived in the wild country beyond the country's western borders.

The days passed, and the cold winter turned to early spring. Snow and ice melted, the rivers flowed rapidly the air was filled with the songs of birds, and the trees turned green again. The poem says,

> The god of the new year arrives,
> The god of the woods goes for a walk,
> Warm breezes carry the smell of flowers,
> Clouds part before the sun,
> The rains bring new life,
> All things show the beauty of spring.

The travelers were walking west when suddenly they heard a sound as loud as ten thousand voices.

"What was that sound?" Tangseng, the Tang monk.

"It sounded like the earth was breaking apart," said Zhu Wuneng, the pig-man and middle disciple.

"It sounded like thunder," said Sha Wujing, the big quiet man and youngest disciple.

"None of you are correct," laughed Sun Wukong, the Monkey King and eldest disciple. "Wait here, I will take a look." He jumped into the air and used his cloud somersault to fly quickly ahead. He looked down and saw a large city covered in fog. Looking carefully he saw that the fog was not caused by evil magic. Outside the city gate he saw several hundred Buddhist monks trying to pull a heavy wooden cart up a hill. The cart was full of rocks and was too heavy for them. They all cried loudly for the Buddha to help them. This was the sound that the travelers had heard. Sun Wukong decided to take a closer look.

He came down to the ground and walked up to the monks. They were thin and dressed in old rags. This was surprising, since monks usually wear nicer clothing. Sun Wukong thought, "Perhaps they are trying to build or repair a local monastery and they cannot find local workers, so they must do the work themselves."

Then he saw two young Daoist priests come out of the city gate. They were dressed in beautiful clothes. They were well fed and their faces as bright and handsome as two full moons. When the monks saw the two Daoist priests, they put their heads down and tried even harder to pull the cart up the hill. They looked very frightened. "Ah, that's it," Sun Wukong thought. "The monks are afraid of the Daoist priests. I have heard of a city where Daoism is revered and Buddhism is not. This must be the place. I must tell Master of this, but first I need to understand what is happening here."

He shook his body and changed his appearance. Now he looked like a traveling Daoist priest, in old clothes. He carried a wooden fish which he hit with a stick, and he sang a Daoist song. He walked up to the two well-dressed Daoist priests and said, "Masters, this old Daoist greets you."

"Where do you come from?" asked one of the Daoist priests.

"This poor disciple has wandered to the ends of the oceans and across the borders of heaven. Just this morning I arrived at your beautiful city. Can you please tell me which streets have people who are friends of the Dao, and which streets I should avoid?"

"Why do you ask that?"

"I wish to beg for some vegetarian food, and I do not want trouble."

"And why do you wish to beg for this food?"

"That is a strange question! We who have left our families must always beg for food. We have no money and cannot buy it for ourselves."

The Daoist laughed at this, and said, "My friend, you come from far away and you do not know our city. This is the Slow Cart Kingdom. All the ministers and all of the people in the city are friends of the Dao. They are happy to give us food. Even our king is fond of the Dao."

"Are you saying that your king is a Daoist?"

"No, but he is a friend of the Dao. Many years ago the weather was very bad here. There was no rain. The crops died, the land turned brown, and the people had nothing to eat. The king and the people all prayed but still the rain did not come. Then one day, when it looked like we all would die of hunger, three Immortals arrived."

"Who were these Immortals?"

"The first is called Tiger Strength Immortal, the second is called Deer Strength Immortal, and the third is called Goat

Strength Immortal. They have deep knowledge of the Dao, and their magic is powerful. They can command the sun, the wind and the rain as easily as you turn over your hand. Soon after they arrived they brought rain. The land turned green and the people had plenty to eat."

Sun Wukong said, "Your king is indeed a lucky man. As the ancients say, 'Magic moves ministers.' Do you think that I could meet these three immortals?"

"That would be no problem at all. We will introduce you to them. But first, we have some work to do. Do you see these useless monks? They are Buddhists. During our time of hunger, the Buddhists prayed to their god for rain, but nothing happened. Then the Daoist immortals came and easily brought rain. This made our king angry at the Buddhists. He said that they were useless. He smashed their temples and told them they could not leave the city. He made them work. Our job is to keep an eye on the monks to make sure they don't relax when they should be working."

Sun Wukong nodded his head, thinking about this but saying nothing. Then he had an idea. He said, "My friends, maybe you can help me. I have a relative, an uncle, who lives in this region. He is a Buddhist monk. I have not seen him in many years. I think he might be living here in your city. Can I see if he is one of these workers?"

"Of course. Go down and take a look at the monks. There should be five hundred of them. You can help us by counting them to make sure all five hundred are there. While you are there, you can look for your uncle. Come back later and we will introduce you to the three Immortals."

Sun Wukong thanked them, then he walked down to where the

monks were working. As he walked he hit his wooden fish and sang a Daoist song. The monks saw him coming. They all stopped work and kowtowed to him. One of them said, "Oh great master, do not be angry. All five hundred of us have been working very hard!"

He replied, "Please get up, don't be afraid. I am not here to look at your work. I am looking for my uncle." The monks surrounded him, all hoping that Sun Wukong would claim him as his uncle. He asked, "My friends, why are you working like slaves? You should be in the monastery, chanting the holy words of the Buddha. Why do you work for these Daoist priests?"

One of them told the same story that the Daoist had told about the hunger, the arrival of the three Immortals, and the king's anger at the Buddhists. He said, "Now the king will not allow us to be monks anymore. We can only be slaves of the Daoist priests!"

"Why don't you just run away?"

"That would not help us. The king has had portraits painted of each of us, and these are hung up in all four corners of the kingdom. If we run away, we will be recognized and captured."

"Well then, you might as well just give up and wait to die."

"Indeed, many of us have already died. Originally there were two thousand of us. Fifteen hundred have died from overwork. But for us, the last five hundred, we cannot die. Many of have tried to kill ourselves, but we always fail. So we work all day, every day. In the evening we eat a little soup with rice. At night we sleep outdoors on the ground. And every night, the Six Gods of Darkness and the Six Gods of Light come to us in our dreams. They tell us to stay strong and wait for the arrival of the Tang Monk and his disciple, the Great Sage Equal to Heaven. They tell us that when the Great Sage comes, he will help those who suffer. He will destroy the Daoist priests and bring back the love of the Buddha!"

Sun Wukong was surprised to hear this. He decided this was not a good time to tell the monks that he was, indeed, the Great Sage Equal to Heaven. He turned and walked back to the two well dressed Daoist priests. One of them said, "Little brother, did you find your uncle?"

"Yes I did. All five hundred of them are my uncles."

"How can that be?"

"I come from a very large family. One hundred are neighbors on my right. One hundred are neighbors on my left. One hundred are on my father's side and one hundred are on my mother's side. And one hundred are my blood brothers. All are my relatives and friends. Let them all go. Now."

The Daoist said, "Of course we will not do that. If we let them go, who will do the work in this city?"

"That is not my problem. Let them go!" shouted Sun Wukong. They refused. He asked them three more times. Each time they refused, and each time he became more angry. Finally he took out his golden hoop rod and smashed the two Daoist priests on their heads, killing them instantly.

When the monks saw this, they came running up to Sun Wukong, crying "Disaster! Disaster! Now the king will be very angry and we will be the ones to suffer for it. Why did you do this?"

"Stop shouting, all of you. I am no traveling Daoist monk. I am Sun Wukong, the Great Sage Equal to Heaven. I am traveling with the Tang monk. I have come to save your lives."

One of the monks cried, "No, you cannot be the Great Sage. In our dreams, we met an old man who calls himself Gold Star of Venus. He says that the Great Sage has a round head, a hairy face, golden eyes and a pointed mouth. He carries a golden hooped rod that he used to smash the gates of heaven. They also say he is quite rude."

Sun Wukong was pleased to hear the gods were talking about him, but he was also a little bit annoyed because the gods had been telling these monks too much about him. He said, "OK, I am not the Great Sage. I am just his disciple. There is the Great Sage!" And he pointed to a place behind the monks. As they turned to look, he changed into his true form and shouted, "Here I am!"

They looked back and saw him, then they all went down on their knees, saying, "Oh Father, we are sorry we did not recognize you. We beg you to avenge us. Enter the city and kill those demons!"

Sun Wukong used his magic to pick up the heavy cart and smash it on the ground. He shouted, "Go away! I will see this foolish king tomorrow, and I will kill those Daoist priests."

"But Father, we are afraid. What will we do when you are gone? What if the Daoist priests come back?"

Sun Wukong pulled a bunch of hairs from his head. He chewed them until he had five hundred little pieces of hair. He gave one piece to each monk. He told them to put the little hair under the fingernail of their fourth finger. "If anyone gives you trouble, close your fist tightly and say, 'Great Sage Equal to Heaven.' I will come and protect you."

This was difficult for the monks to believe. One of the monks held up his fist and whispered, "Great Sage Equal to Heaven." Immediately a thunder spirit appeared in front of him, holding an iron rod. The thunder spirit was so big and powerful that nobody would dare attack the monk. Encouraged by this, several other monks also said, "Great Sage Equal to Heaven." Each time, a thunder spirit appeared in front of them.

"When you want the thunder spirit to go away, just say the word, 'stop' and it will disappear." The monks, feeling more confident now, all shouted 'stop' and the thunder spirits all disappeared.

While all this was happening, Tangseng and the other two disciples were waiting on the road. They grew tired of waiting, so they started to walk towards the city. Soon they saw Sun Wukong standing with a crowd of monks around him. He asked Sun Wukong to explain what was happening. Sun Wukong told him the full story. Tangseng was horrified, and asked the Monkey King what they should do.

One of the monks spoke up, saying to Tangseng, 'Great father, do not be afraid. Great Sage Sun has great magical powers, he will protect you from danger. There is still one monastery in the city that the king has not destroyed. Please come to our monastery and rest there. Tomorrow the Great Sage will know what to do."

The four travelers and the crowd of monks all walked to the monastery. When they entered, they saw a large golden Buddha. Tangseng prostrated himself before the Buddha.

Then an old monk came out to meet them. He looked at Sun Wukong and prostrated himself on the ground, saying, "Father, you have arrived! You are the Great Sage Equal to Heaven, the one who we see in our dreams!"

"Please get up," laughed Sun Wukong. "Tomorrow we will take care of your problem." The monks all went to prepare a simple vegetarian meal for the travelers. Then the travelers went to their beds for the night's sleep.

But Sun Wukong could not sleep. He was thinking of the events of the day, and what he would do tomorrow. Around the time of the second watch he heard the sound of music. He got up, put on his clothes, and jumped into the air on his cloud. Looking down, he saw the Daoist temple which was called the Temple of the Three Pure Ones. In the courtyard outside the temple, in the bright light of torches, he saw the three Daoist Immortals wearing beautiful robes. There were also seven or eight hundred Daoist monks. They were singing, beating drums, burning incense, and sending prayers up to heaven. There was a lot of food on tables. He thought to himself, "I'd like to go there and have some fun. First, though, I'll get Zhu and Sha to help me."

He returned to the Buddhist monastery to wake up Zhu and Sha. He said, "Come with me to the Temple of the Three Pure Ones. The Daoist priests are having some sort of ceremony there. There are tables full of fruits, buns as big as barrels, and cakes that must weight fifty catties each. Let's enjoy ourselves!"

The three of them left the monastery and flew to the Daoist temple. They looked down and saw the Daoist priests and all the delicious food. "We should not go down there," said Sha, "there are too many people."

"Let me use a little magic," replied Sun Wukong. He blew out a strong wind. The wind became a storm. It blew out all the lamps and torches, and knocked over the tables and chairs. Tiger Strength Immortal said, "Disciples, the weather has turned bad. Let's go indoors and go to bed. We will finish our prayers tomorrow."

After the Daoist priests left, the three disciples arrived at the courtyard. Zhu immediately grabbed one of the buns. Sun Wukong smacked his hand and said, "Don't do that. Let's sit down and eat with proper manners."

"Are you kidding me?" replied Zhu. "Here you are, stealing food from a temple, and you're talking to me about manners?"

Sun Wukong looked up and saw three statues near the wall. "Who are those?" he asked.

"Don't you know anything?" replied Zhu. "Those are the Three Pure Ones. On the left is the Jade Pure One. In the middle is the Supreme Pure One. And on the right is Laozi himself, the Grand Pure One. " Zhu used his long nose to push over the statue of Laozi. Then he changed his appearance so he looked just like the statue of Laozi. Sha laughed and changed into the Supreme Pure One, and Sun Wukong changed into the Jade Pure One. "OK," said Zhu, "let's eat!"

"Not yet," replied Sun Wukong. "We need to hide these three statues. Just outside this room I saw a little door on the right. It smells really bad, so I think it is the Room of Five Grain Transformation. Put the statues in there." Of course, when Sun Wukong said this, he meant that it was the bathroom. Zhu carried the three statues into the bathroom and threw them into the toilet. They landed in the dirty water. Then he returned to the courtyard, laughing. The three of them, looking like the Three Pure Ones, sat down at the table. They drank all the wine and they ate every last mouthful of food.

One of the young Daoist monks was trying to sleep, but he remembered that he had left a handbell in the courtyard. He got up in the dark and walked to the courtyard to get the bell. He heard the sound of breathing and became very frightened. He tried to run out of the courtyard but he slipped on a banana. Zhu saw this and laughed loudly. This made the young Daoist even more frightened. He ran to the residence of the three Daoist Immortals and cried, "Masters, come quickly! I heard the sound of breathing in the courtyard, then I heard someone laughing!"

Tiger Strength Immortal shouted, "Bring some light. Let's see who is there." Then all three Daoist immortals and hundreds of Daoist monks grabbed lamps and torches and ran to the courtyard.

Chapter 45

Sun Wukong heard the crowd coming. He said "Watch me!" to Zhu and Sha. Then he became silent and sat unmoving, like a statue. Zhu and Sha saw what he did. They also sat unmoving. Now they looked just like the Three Pure Ones.

Tiger Strength Immortal arrived in the courtyard with the others. He held a torch and looked closely at the three statues, but they looked exactly like the statues of the Three Pure Ones. Then he said, "There are no thieves here, just these three statues. But who ate all the food?"

Goat Strength Immortal replied, "I think that the Three Pure Ones have come down to earth, visited our temple, and eaten our food. We are very fortunate! Let's ask them to give us some golden elixir. We can give it to our king."

The three immortals and all the Daoist disciples began to sing and dance and recite the holy Daoist scriptures. Then Tiger Strength Immortal prostrated himself on the ground, held out his arms, and asked the Three Pure Ones to give them golden elixir for the king.

Sun Wukong said to them, "You young immortals, please stop asking us for golden elixir. We have just returned from the Festival of the Immortal Peaches. Right now we do not have the elixir that you want. Come back tomorrow and we will give them to you."

The Daoist monks saw the Jade Pure One open his mouth and speak. They were terrified and fell to the ground. Deer Strength Immortal came forward and also prostrated himself on the ground, saying,

Oh Pure Ones Three,
Your disciples pray to you
With our heads in the dust,
Your disciples sing to you
With torches by night and incense by day,
We came here and set the king free,
Now we ask you to give him long life,
Please hear our prayers
And give us some golden elixir!

Sun Wukong said, "All right, young immortals, enough of this. We hear your prayers and will give you the golden elixir that you ask for. Give us something to hold the gifts." Right away, the three Immortals ran to find three large buckets. Soon they returned, carrying the empty buckets. "Good," said Sun

Wukong. "Now go away, and close all the doors and shutters. The mysteries of heaven must not be seen by the eyes of men. We will call you when the elixir is ready." The three Immortals and all the Daoist monks left the courtyard. They closed all the doors and shutters, so nobody could see into the courtyard.

Sun Wukong stood up, walked over to one of the buckets, lifted his tiger skin, and pissed into the bucket until it was full. Zhu saw this, laughed, and said, "Elder brother, we have been friends for a long time, but this is the most fun I have ever had with you!" And he filled up the second bucket with urine. Sha pissed into the third bucket and filled it up.

Then Sun Wukong called out, "Little ones, come and get your golden elixir!" The Daoist priests came back into the courtyard. They kowtowed to the Three Pure Ones. Then they picked up the three buckets and poured the liquid into a large barrel, mixing the contents together. "Disciples," called Tiger Strength Immortal, "bring me a cup." One of them brought him a large cup. He dipped the cup into the barrel, filled it with the warm liquid, and drank all of it at once. The others watch him. He blinked his eyes a couple of times.

"Elder brother," said Deer Strength Immortal, "how does it taste?"

"I have to say, it does not taste good," said Tiger Strength Immortal. "The taste is very strong and bitter."

Goat Strength Immortal tasted the liquid. "I think it tastes like pig urine," he said.

Sun Wukong could not stop himself from laughing. He stood up and said, "Oh Daoist priests, you are such fools! Let me tell you our true names. We are not Pure Ones. We are disciples of the Tang monk, traveling west by command of the Tang Emperor. We came to your city looking for a place to rest a bit. Tonight we found this good food, and ate and drank all of it. We wanted a way to pay you for the good food and drink, so here it is. We hope you enjoy your golden elixir!"

The Daoist priests were furious. They picked up anything they could find – rakes, sticks, torches, rocks – and attacked the three Tang disciples. Quickly, the three Buddhist disciples flew into the air and returned to the Buddhist monastery. When they arrived they went quietly back to bed, trying not to wake up their master. Their bellies were full and they slept until late the next morning.

In the morning, Tangseng got out of bed and said to them, "Disciples, get up. I need to go and see the king. He needs to sign our travel rescript ."

The three disciples also got up, put on their clothes, and waited for Tangseng. They said, "Master, please be careful. This king is a friend to the Daoist priests, and has no love for Buddhists. We fear that if he sees that we are Buddhists, he will refuse to sign our travel rescript. Please let us come with you to see the king." Tangseng agreed, and they left the monastery to walk to the palace of the king.

They arrived at the palace and told one of the ministers that they were monks traveling from the east, traveling to India, and wished to greet the king and have their travel rescript signed. The minister told the king, and the four travelers were invited to come in to the throne room.

The king looked at the four Buddhists. He said to his minister, "If these monks are looking to die, why do they want to do it here?"

The minister replied, "Your Majesty, they come from the Tang Empire. It is in China, ten thousand miles east of here. The road from Tang to here is very dangerous, with many monsters and wild animals. Yet these four are still alive. They must have very powerful magic. Please, sign their rescript and allow them to continue on their journey."

Tangseng and the three disciples came forward and presented the rescript to the king. The king took it, read it, and was about to sign it. But just then, the three Daoist Immortals arrived. They walked into the throne room without being invited. The king bowed to them. They stood tall and did not return the bow. The king said to them, "Oh great Immortals, we were not expecting to see you today. Why have you come?"

One of them replied, "We have something to tell you. But first, tell us, where do these four monks come from?"

"They say that they came from the Tang Empire, ten thousand miles to the east, in China," the king replied. "They are traveling west to India. They asked us to sign their travel rescript, and we agreed, wanting to keep a good relationship with the Tang Empire."

The three Immortals laughed. Tiger Strength Immortal said, "I must tell you what happened yesterday. As soon as these monks arrived at our city, they killed two of our disciples outside the eastern gate. Then they released five hundred Buddhist monks and smashed their cart. Then last night they came to our temple. They took the form of the Three Pure Ones and ate all of the food that we had set out for the Pure Ones. We thought they really were the Three Pure Ones, so we asked them to give us some golden elixir. We wanted to give the golden elixir to you, to give you long life. But they gave us their urine instead of golden elixir. We learned of this after we drank some of the awful stuff. We tried to grab them but they escaped. We did not think they would dare to remain in our city, but here they are!"

The king heard this. He was about to give the order to kill the four travelers. But quickly Sun Wukong said, "Your Majesty, please, let your anger cool for a bit, and let this poor monk speak."

"What?" said the king, "Are you saying that these holy Immortals are not telling the truth?"

Sun Wukong had seen that the king was a bit muddle-headed and not very smart. So he decided to try to trick the king. "Your Majesty, they say that we killed two disciples. But there are no witnesses. Even if this is true, that crime should only result in two of us being killed, not four. Then they say that we smashed a cart. Again, there are no witnesses. And even if this is true, it is not a serious crime, and I do not think even one of us should be killed. And finally, they say that we caused trouble in their temple. Clearly this is a trap they set for us."

"How can you say that it was a trap?"

"Your Majesty, we are travelers from the east. We just arrived. We do not know your city, we do not know one street from another. How could we even know the location of their temple, and at night no less? If last night we really gave them urine instead of golden elixir, why would they wait until this morning to tell you? Many people look alike. Perhaps someone else gave them the urine, not us. This matter is not clear at all. We ask you to set up a committee to look into this matter carefully before you make any decisions."

Now the king was very confused. He did not know what to do or what to say. But as he was standing there, a minister came in and said, "Your Majesty, many village elders are waiting to see you." The king returned to his throne and told the minister to bring them in.

The elders came in. They all kowtowed to the king, and one of them said, "Your Majesty, there has been no rain this spring. Our farms are turning brown and we are afraid that soon there will be no food. We ask the three Immortals to pray for rain, so that your people will have food."

The king said to Tangseng, "Now do you understand why we love the Dao and have no use for Buddhists? In years past, the Buddhist monks prayed for rain but there was no rain. Then the three Daoist Immortals arrived, they prayed for rain and the rain came. The Immortals saved our city, while the Buddhists did nothing. Now you come here and cause trouble for these Immortals. I should have you killed, but I have a better idea. We will have a rainmaking competition. If you bring rain, I will sign your travel rescript and you can continue on your journey to the west. If you fail, you will all lose your heads!"

The king and his ministers climbed to the top of a great tower to watch the competition. The four travelers and the three Immortals also climbed to the top of the tower. Tiger Strength Immortal walked forward to the edge of the tower. On all sides flags were flying in the wind with the names of the twenty eight constellations on them. There was a large table. On the table was a brazier with incense burning in it.

Sun Wukong said, "Wait a minute! If we both try to bring rain, and the rain comes, nobody will know who brought the rain. We need a way to know the winner of the competition."

Tiger Strength Immortal smiled and said, "No problem, little monkey. I will bang on this table five times. The first time the wind will come. The second time the clouds will come. The third time the lightning and thunder will come. The fourth time the rains will come. And the fifth time the rain will stop and the clouds will go away."

"Wonderful!" said Sun Wukong. "I have never seen this before. Please, begin!"

The Daoist banged loudly on the table. The wind began to rise. "Oh no," said Zhu, "we are in trouble now!"

"Be quiet, brother," said Sun Wukong. "Let me work." He pulled out one of his hairs, blew on it, and it changed into the image of the monkey. That monkey stood still. The spirit of Sun Wukong flew up into the air. He shouted, "Who is in charge of the wind around here?"

The Old Woman of the Wind appeared, holding a large bag that she used to make the wind. "I make the wind," she said. "Who are you?"

"I am the Great Sage Equal to Heaven, and a disciple of the Tang monk. We are traveling west to India, and stopped at Slow Cart Kingdom. Now I am having a competition with one of the Daoist priests. He is trying to bring the wind. I want you to stop the wind. If you don't do it right away, I will hit you twenty times with my rod!"

Immediately the Old Woman of the Wind stopped the wind. On the tower, everyone saw that the wind had stopped. The Daoist burned some incense and banged on the table again, and clouds began to form. In the sky Sun Wukong shouted again, "Who brings the clouds?" Cloud-Pushing Boy and Fog-

Spreading Boy came up to him. He told them the same story, and gave them the same orders. Immediately they stopped the clouds from forming, and the sun came out.

On the tower, Zhu laughed loudly and said, "This old Daoist has fooled the king and the people. He has no magic power at all. Look, there's no wind, and not a single cloud in the sky!"

The Daoist was becoming a little bit frightened, but he continued to try making his magic. He said more prayers, burned more incense, and banged the table a third time. In the sky, Lord Deng came down from the South Heaven Gate, along with the Prince of Thunder and the Mother of Lightning. Lord Deng said, "We have been called by the Jade Emperor himself to assist with the rainmaking."

Sun Wukong replied, "That's fine, but please wait a moment. You can still do as the Jade Emperor commands, but you can help me at the same time." Lord Deng agreed, and he stopped the thunder and lightning.

Now the Daoist was becoming desperate. He burned all the rest of the incense, said some prayers, and banged the table a fourth time. In the sky, the Dragon Kings of the Four Oceans all appeared. But they were all old friends of Sun Wukong. He greeted them and told them the same story. They agreed to wait and did not bring any rain.

Lord Deng said, "Great Sage, we have all done as you asked. Now we will wait for your order."

Sun Wukong replied, "Thank you. I will point my rod upwards five times. Each time I point my rod, that will tell you to make the wind blow, then bring the clouds, then bring the thunder and lightning, then bring the rain, and then stop the

141

rain." All the weather spirits agreed to follow his commands. Then he flew down to the tower and returned to his body. He said to the Daoist, "Sir, you have tried to bring the wind, clouds, thunder, lightning and rain, but you have failed. Now let me try."

The Daoist walked slowly away from the table, saying to the king, "I am sorry, Your Majesty, the dragon kings are not at home today."

Sun Wukong heard this. He said, "Your Majesty, the dragon kings are indeed home today. But your Daoist friend does not have enough magic to bring the rain. Let the Buddhists monk try!"

"Please go ahead," said the king.

Sun Wukong said quietly to Tangseng, "OK, now it's time for you to bring the rain."

Tangseng replied, "But I don't know anything about bringing rain!"

"Don't worry. You know how to recite scriptures. Just go there and say some Buddhist prayers. I will take care of everything."

Tangseng recited the Heart Sutra. When he finished, Sun Wukong took his rod out of his ear, pointed it to the sky, and raised it one time. The Old Woman of the Wind saw this. She opened her bag and the wind started to rise. It grew stronger and stronger. All over the city, clouds of dust rose up and filled the air. But the tower was higher than the dust clouds.

Sun Wukong raised his rod a second time The Cloud-Pushing Boy and the Fog-Spreading Boy saw this. They brought a thick blanket of clouds. The cloud blanket was so deep and dark that daytime turned to nighttime in the city. He raised his rod a third time. The Prince of Thunder brought thunder that was so loud that it awakened sleeping animals for a hundred miles. The Mother of Lightning brought lightning that was so bright that it lit up the sky like a dragon breathing fire across the sky. The people in the city were frightened. They burned incense and paper money.

Now the Monkey King raised his rod a fourth time, and the four Dragon Kings brought rain. It rained so hard, it was as if the entire Yangtze River came down onto the city. All the streets were flooded. The king said, "Please, stop this rain. We have enough! I am afraid that it will destroy the crops in the farmers' fields!" Sun Wukong raised his rod a fifth time. The rain stopped. The thunder and lightning stopped. The wind stopped. The clouds drifted away and the sun returned to the sky.

The king was very pleased by this. He was getting ready to sign the travelers' rescript and send them on their way. But the Daoist priests were angry. They said, "Your Majesty, this rain was not brought by those Buddhist monks. It came from our strength, not theirs."

"How can you say that?" replied the king. "You just said that the Dragon Kings were not home. But the Buddhist monk showed us that the Dragon Kings were here, and they brought the rain."

Tiger Strength Immortal said, "You must remember, I said prayers and I burned incense first. The Dragon Kings and the other weather spirits must have been busy somewhere else at the time. They came as soon as they could. It was my prayer that brought them, not this foolish Buddhist monk."

The king again became confused. He did not know what to think. Sun Wukong laughed and said, "Your Majesty, this old Daoist is telling you stories again. But it should be easy for you to know if he is telling the truth or not. He says that he commanded the four Dragon Kings brought the rain. So tell him to command those dragons to show themselves!"

"I have sat on the throne for twenty three years," the king replied, "but I have never seen a living dragon!" And he ordered the Daoist to bring the dragons. The Daoist called the dragons, but they simply ignored him. No dragons appeared in the sky. Then the king turned to Sun Wukong and said, "Can you do this?"

"Of course!" said Sun Wukong. He turned his face to the sky and called, "Auron, Dragon King of the Western Ocean! I ask you and your three brothers to please show yourselves!"

All four Dragon Kings appeared in the sky above the city. They danced over the city, their bodies shining like mirrors in the sky. Sun Wukong waited for a while, then he shouted to them, "Thank you, dragon kings and weather spirits. You can all return home now. The king will say a special mass for you on another day." The dragons returned to their oceans, the weather spirits disappeared, and the sky was clear again.

Chapter 46

Later that day, the king signed Tangseng's travel rescript. He was getting ready to hand it over to Tangseng, but just then the three Daoist Immortals came in again.

"What do you want now?" asked the king.

"Your Majesty, we have lived in your kingdom for twenty years. We have brought rain, we have protected you and your people. Now this traveling monk arrives and shows you a little magic, and you are ready to return to Buddhism and forget about us? How can you treat us like this? We ask for one more competition to see whose magic is stronger."

This king's mind was quite weak. It was difficult for him to make decisions, and he always agreed with the last person who spoke to him. So he put away the travel rescript and asked, "What sort of competition do you have in mind?"

"We call it the Competition of Cloud Ladders. We need one hundred tables. Build two towers of fifty tables each, one on top of the other. I will climb to the top of one tower without using my hands or a ladder, only by using a cloud. The Buddhist will climb the other tower the same way. Then we will both mediate silently. Whoever meditates the longest will win the competition."

The king liked this idea. He told his workers to gather a hundred tables and build two towers in the courtyard. Then he told one of his ministers to explain the competition to the four travelers.

Sun Wukong was not happy about this. He said, "I am very good at smashing things. But I am not good at mediating. I cannot sit still for any long period of time. I'm afraid I will lose this contest."

"I can meditate!" said Tangseng.

"Wonderful!" replied Sun Wukong. "How long can you sit still?"

"Oh, for at least two or three years."

"We will not need that much time."

Soon all the travelers and Daoist priests gathered in the courtyard next to the two towers. Tiger Strength Immortal jumped into the air. Clouds formed at his feet, and he rose up in the air. When he got to the top of the tower, he stepped off the clouds onto the topmost table. He sat down and began to meditate.

Sun Wukong changed into a five-colored cloud. The cloud rested on the ground next to Tangseng. The monk stepped on the cloud, and it carried him up to the top of the other tower. Tangseng stepped off the cloud, sat down, and also started to meditate.

Now, Deer Strength Immortal decided to help his brother a little bit. He pulled a hair from his head and blew on it. It floated up to the top of Tangseng's tower. It landed on Tangseng's head and changed into an insect. The insect started to bite Tangseng's head. Tangseng really wanted to scratch his head, but he knew that if he moved his hand he would lose the competition.

Sun Wukong saw that his master was having trouble. He turned into a cricket and flew up to the top of Tangseng's tower. He saw the insect on Tangseng's head. He pushed the insect off. Then he used his little legs to scratch Tangseng's head, stopping the itching.

Sun Wukong knew that there was no way an insect could have flown up to the top of the tower. It had to be the work of one of the Daoist priests. So he flew over to the other tower, just above the meditating Daoist. He changed into a seven inch long centipede. The centipede dropped down onto the face of the Daoist and gave him a huge bite on the upper lip. The Daoist jumped up and fell off the tower. His friends caught him when he reached the ground. They carried him away, and the king declared Tangseng the winner of the competition.

But before the king could let the travelers go, Deer Strength Immortal spoke to him, saying, "Your Majesty, my elder brother sometimes has difficulty when the weather is cold and windy. That's why he could not win the meditation competition. Please allow us to have a second competition. We call it the Competition of Hidden Things. This poor Daoist has the ability to see what is hidden behind boards. Let's see if the traveling monk can do the same."

The king was confused again, and so he agreed to another competition. He asked the queen to put something of great value into a red laquered chest, then the chest was brought into the courtyard. He said, "Let both sides guess what treasure is in the chest."

Tangseng said to Sun Wukong, "Disciple, I do not know how to see inside this chest!"

"No worries, Master," replied Sun Wukong. "I will take a look and tell you what's inside." He changed into a cricket and found a small crack in the bottom of the chest. He entered the chest and saw that the treasure was a beautiful palace robe. He bit his lip and spat a drop of blood on the robe, using his magic to change the robe into an old worn-out cassock. Then just for fun, he changed into a cat and pissed on it. Then he changed back into a cricket, left the chest, and flew up to Tangseng's ear. He said quietly, "It's an old worn-out monk's cassock."

"Well?" asked the king. "What's in the chest?"

"It is a beautiful palace robe," said Deer Strength Immortal.

"No, no, no," replied Tangseng. "It's an old worn-out

cassock."

"How dare you!" shouted the king. "Do you think we have no treasure in our kingdom?"

Tangseng was very frightened. He replied, "Your Majesty, your humble monk begs you to wait and see if my words are true or not!" Then he waited nervously as the chest was opened. Inside was an old worn-out cassock that smelled like cat urine.

Now the king and queen were both angry. The queen was angry because her beautiful palace robe had turned to rags, and the king was angry because such an old dirty thing was found in his palace. He said, "We will have one more contest. This time, I will hide the thing myself." He had two servants carry the chest into the garden. There he found a very large peach, as big as two fists, and he placed it in the chest. They returned to the courtyard.

Again Sun Wukong changed into a cricket and entered the chest. He was very happy to find the peach. He ate the entire fruit, leaving only the pit. Then he left the chest, flew up to Tangseng's ear, and told him that there was a peach pit inside.

Again the king asked what was in the chest. The Daoist said, "Inside the chest is a large peach."

Tangseng said, "No, Your Majesty, there is only a peach pit in the chest."

They opened the chest and of course there was only a peach pit. The king shook his head, saying, "I put that peach in the chest myself. Truly, this Buddhist monk has very powerful magic."

"Yes," said Tiger Strength Immortal, "he has some magic. But these are just small tricks. We want to have one final competition with them. We want you to cut off our heads."

"But that will mean certain death!" cried the king.

"Not for us. But perhaps for these monks," replied the Immortal.

Sun Wukong heard this and laughed. "It is my lucky day!" he said. "It looks like business has come to my door!" Turning to the king, he said, "Please, Your Majesty, since we won each of the last three competitions, please allow us to change the rules for this final competition. I wish to enter this competition alone. I will allow my head to be cut off. For the Daoist priests, each of them will also lose their heads. Will you allow this?"

The king agreed. Sun Wukong was tied up with ropes and his head was put on a wooden block. Three thousand soldiers stood guard. The executioner lifted his ax and brought it down on the monkey's neck. His head came off and rolled on the ground. The executioner kicked the head and it rolled away. As the head was rolling away, it shouted, "Grow!" and a new head grew from Sun Wukong's neck.

Now the king was very frightened. He told Tangseng and the three disciples to leave his city and never return. But Sun Wukong said, "We will be happy to go, but the competition is not finished. The three Daoist priests must also lose their heads."

The three Daoist Immortals were tied up. Three executioners brought down three axes at the same time, and three heads rolled along the ground. All three of the Daoist priests' bodies called for their heads to return, but Sun Wukong blew on three hairs, changing them into three dogs. The dogs grabbed the three heads and ran away with them. The Daoist priests could not bring their heads back. After a minute, blood flowed out from their necks and they died. Their bodies changed. One was a headless yellow tiger, one was a headless white deer, and one was a headless gray goat.

The king saw that the three Immortals were dead. He knelt down and cried without stopping. Sun Wukong listened to this for a while, then he shouted at the king, "How could you be so foolish? These were not Daoist Immortals, they were demons! Can't you see that? They were just waiting for your power to weaken, then they would kill you and take over your kingdom. You are very lucky that we came here and saved your life and saved your kingdom. But you don't see that. No problem, just give us our travel rescript and we will be on our way."

The king's prime minister said, "Your highness, the monkey is correct. These were demons, not Daoist priests."

The king said, "In that case, we thank the Tang monk and his disciples. Please rest tonight at the Buddhist monastery. Tomorrow we will have a great vegetarian feast for you, and you can continue on your journey to the west."

The next day, the king gave a great feast for the four travelers. He declared that the Buddhist monks could safely return to the city. The five hundred monks returned. They gave their little monkey hairs back to Sun Wukong, and they thanked him for saving their lives.

Sun Wukong stood up and said to the king and the people, "I must confess. I released these five hundred monks. I smashed the cart. And I killed the two Daoist priests outside the gate. I did those things to save your city from the three demons. From now on, please remember the way of the Buddha. Do not believe false words from others. Also, remember to revere the Buddhist monks, revere the Daoist priests also, and revere the talented and wise. Do these things and your kingdom will be safe."

The king agreed. He thanked the four travelers again and handed the travel rescript to Tangseng. Then the Tang monk and the three disciples left the city and continued their journey to the west.

Proper Nouns

These are all the Chinese proper nouns used in this book.

Chinese	Pinyin	English
奥莱	àolái	Aolai (a country)
敖闰	áorùn	Aorun (name of the Dragon King of Four Oceans)
敖闰龙王	Áorùn Lóngwáng	Auron Dragon King
宝林寺	Bǎolín Sì	Precious Grove Temple
北极星	Běijíxīng	Polaris, the North Star
藏物比赛	Cángwù Bǐsài	Competition of Hidden Things
长江	Cháng Jiāng	Yangtze River
长安	Cháng'ān	Chang'an (a city)
车迟王国	Chē Chí Wángguó	Slow Cart Kingdom
大猢狲魔王	Dà Húsūn Mówáng	Giant Ape Monster King
邓天君	Dèng Tiānjūn	Lord Deng
电母	Diàn Mǔ	Mother of Lightning
风老妇人	Fēng Lǎo Fùrén	Old Woman of the Wind
光明六神	Guāngmíng Liùshén	Six Gods of Light
观音	Guānyīn	Guanyin (a Bodhisattva)
黑公鸡王国	Hēi Gōngjī Wángguó	Black Rooster Kingdom
黑暗六神	Hēi'àn Liùshén	Six Gods of Darkness
红百万	Hóng Bǎi Wàn	Red Millions (a name)
红千	Hóng Qiān	Red Thousands (a name)
花果山	Huāguǒ Shān	Flower Fruit Mountain
虎力神仙	Hǔlì Shénxiān	Tiger Strength Immortal
火洞	Huǒ Dòng	Cave of Fire
金箍棒	Jīn Gū Bàng	Golden Hoop Rod

井龙王	Jǐng Lóngwáng	Well Dragon King
九霄空	Jiǔxiāo Kōng	the Ninth Heaven
老君	Lǎojūn	another name for Laozi
老子	Lǎozǐ	Laozi, or Lao Tzu
雷王子	Léi Wángzǐ	Prince of Thunder
六百里山	Liùbǎi Lǐshān	Six Hundred Mile Mountain
龙魔王	Lóng Mówáng	Dragon Demon King
鹿力神仙	Lùlì Shénxiān	Deer Strength Immortal
木叉	Mùchā	Mucha (a disciple of Guanyin)
牛魔王	Niú Mówáng	Bull Demon King
普陀落伽山	Pǔtuóluòjiā Shān	Putuoluojia Mountain
齐天大圣	Qí Tiān Dà Shèng	Great Sage Equal to Heaven (a title for Sun Wukong)
三清	Sān Qīng	Three Pure Ones
三清观	Sān Qīng Guān	Temple of the Three Pure Ones
散雾男孩	Sàn Wù Nánhái	Fog-Spreading Boy
三昧	Sānmèi	Samadhi, a state of intense concentration
沙吴静	Shā Wújìng	Sha Wujing (a name, "Sand Seeking Purity")
善财	Shàncái	Sudhana, a disciple of Guanyin
上清	Shàng Qīng	Supreme Pure One
圣婴大王	Shèng Yīng Dàwáng	Great King Holy Child
狮魔	Shī Mówáng	Lion Demon King
水晶宫	Shuǐ Jīnggōng	Water Crystal Palace
丝绸之路	Sīchóu Zhī Lù	Silk Road
四海龙王	Sìhǎi Lóngwáng	Dragon Kings of the Four Oceans
孙悟空	Sūn Wùkōng	Sun Wukong (a name, "Ape Seeking the Void")
太清	Tài Qīng	Grand Pure One
泰山	Tài Shān	Mount Tai

太白金星	Tàibái Jīnxīng	Gold Star of Venus
太上老君	Tàishàng Lǎojūn	Laozi (a Daoist sage)
唐	Táng	Tang (a kingdom)
唐皇帝	Táng Huángdì	Tang Emperor
唐僧	Tángsēng	Tangseng (a name, "Tang Monk")
天蓬元帅	Tiān Péng Yuánshuài	Marshal of Heaven (Zhu's title in a previous life)
通风大圣	Tōngfēng Dà Shèng	Fair Wind Great Sage
推云男孩	Tuī Yún Nánhái	Cloud-Pushing Boy
文殊	Wénshū	Weshu (a god)
五谷轮回房	Wǔgǔ Lúnhuí Fáng	Room of Five Grain Transformation
悟空	Wùkōng	a familiar name for Sun Wukong
仙桃节	Xiāntáo Jié	Festival of the Immortal Peaches
心经	Xīnjīng	Heart Sutra
羊力神仙	Yánglì Shénxiān	Goat Strength Immortal
阎罗王	Yánluó Wáng	Yama (King of the Underworld)
印度	Yìndù	India
鹰魔王	Yīng Mówáng	Eagle Demon King
玉清	Yù Qīng	Jade Pure One
玉皇大帝	Yùhuáng Dàdì	Jade Emperor
云梯比赛	Yúntī Bǐsài	Competition of Cloud Ladders
张大师	Zhāng dàshī	Master Zhang
中国	Zhōngguó	China
朱八杰	Zhū Bājié	Zhu Bajie (a name, "Pig of Eight Prohibitions")

Glossary

These are all the Chinese words (other than proper nouns) used in this book.

We use as our starting vocabulary the 1200 words of HSK4, plus all words introduced in previous books in this series, for a total working vocabulary of about 1500 words. However, the story in this book only uses about 1230 of those words. This includes some compound words such as 下马 (xiàmǎ, to dismount from a horse) that are made up of other words in the vocabulary.

Chinese	Pinyin	English
啊	a	ah, oh, what
爱	ài	love
安静	ānjìng	quietly
安全	ānquán	safety
吧	ba	(indicates assumption or suggestion)
拔	bá	to pull
把	bǎ	to hold, to get, to have it done
把	bǎ	(preposition introducing the object of a verb)
八	bā	eight
拔出	bá chū	unplug
把	bǎ	(measure word for gripped objects)
爸爸	bàba	father
白	bái	white
百	bǎi	hundred
拜倒	bài dǎo	bow down
白天	báitiān	day, daytime
办	bàn	to do

搬 (动)	bān (dòng)	to move
办法	bànfǎ	method
棒	bàng	rod
帮 (助)	bāng (zhù)	to help
饱	bǎo	full
宝贝	bǎobèi	baby
报仇	bàochóu	revenge
暴风雨	bàofēngyǔ	storm
保护	bǎohù	to protect
包子	bāozi	steamed bun
宝座	bǎozuò	throne
把手	bǎshǒu	handle
耙子	bàzi	rake
被	bèi	(passive particle)
杯 (子)	bēi (zi)	cup
笨	bèn	stupid
臂	bì	arm
比	bǐ	compared to, than
避 (开)	bì (kāi)	to avoid
变	biàn	to change
边	biān	side
变成	biànchéng	to become
边界	biānjiè	boundary
别	bié	do not
别的	biéde	other
比较	bǐjiào	compare, relatively
冰雪	bīngxuě	ice and snow
比赛	bǐsài	game
陛下	bìxià	Your Majesty
必须	bìxū	must, have to

鼻子	bízi	nose
脖子	bózi	neck
不	bù	no, not, do not
不停地	bù tíng de	constantly
不久	bùjiǔ	soon
才	cái	only
猜	cāi	guess
才能	cáinéng	ability, talent
藏	cáng	to hide
参加	cānjiā	to participate
厕所	cèsuǒ	bathroom
长	cháng	long
场	chǎng	(measure word)
唱 (歌)	chàng (gē)	to sing
唱歌	chànggē	to sing
吵醒	chǎoxǐng	wake up accidentally
车	chē	car
城 (市)	chéng (shì)	city
惩罚	chéngfá	punishment
成立	chénglì	established
承认	chéngrèn	recognition
城市	chéngshì	city
丞相	chéngxiàng	prime minister
吃(饭)	chī (fàn)	to eat
吃惊	chījīng	to be surprised
虫 (子)	chóng (zi)	insect
出	chū	out
穿	chuān	wear
穿上	chuān shàng	put on
床	chuáng	bed

窗	chuāng	window
穿着	chuānzhuó	wear
吹	chuī	to blow
唇	chún	lip
春 (天)	chūn (tiān)	spring
出现	chūxiàn	to appear
次	cì	next in a sequence
次	cì	(measure word for time)
从	cóng	from
从来没有	cónglái méiyǒu	there has never been
聪明	cōngmíng	clever
粗鲁	cūlǔ	rude
寸	cùn	Chinese inch
村 (庄)	cūn (zhuāng)	village
大	dà	big
打	dǎ	to hit, to play
大喊	dà hǎn	to shout
大臣	dàchén	minister
大地	dàdì	earth
带	dài	band
袋 (子)	dài (zi)	bag
打开	dǎkāi	to open up
但 (是)	dàn (shì)	but, however
丹药	dān yào	elixir
当	dāng	when
蛋糕	dàngāo	cake
当然	dāngrán	of course
担心	dānxīn	to worry
倒	dào	upside down
到	dào	to arrive, towards

道	dào	way, Dao
倒	dào	to pour
倒	dǎo	to fall
道教	dàojiào	way, path, Daoism
道士	dàoshi	Daoist priest
大声	dàshēng	loud
大师	dàshī	grandmaster
地	de	(adverbial particle)
的	de	of
得	de	(particle showing degree or possibility)
得 (到)	dé (dào)	to get
的话	dehuà	if
等	děng	to wait
灯	dēng	light
第	dì	(prefix before a number)
底	dǐ	bottom
低	dī	low
滴	dī	(measure word for droplet)
殿	diàn	hall
点	diǎn	point, hour
点头	diǎn tóu	nod
典礼	diǎnlǐ	ceremony
掉	diào	to fall, to drop
雕像	diāoxiàng	statue
弟弟	dìdi	younger brother
地方	dìfāng	local
帝国	dìguó	empire
地面	dìmiàn	ground
顶	dǐng	top

地上	dìshàng	on the ground
丢	diū	throw
低下	dīxià	low
动	dòng	to move, to touch
东	dōng	east
冬天	dōngtiān	winter
动物	dòngwù	animal
东西	dōngxi	thing
都	dōu	all
读	dú	to read
段	duàn	(measure word for sections)
对	duì	correct, towards someone
对不起	duìbùqǐ	I am sorry
顿	dùn	(measure word for non-repeating actions)
朵	duǒ	(measure word for flowers and clouds)
多久	duōjiǔ	how long?
肚子	dùzi	belly
饿	è	hungry
二	èr	two
耳 (朵)	ěr (duo)	ear
发 (出)	fā (chū)	to send out
发光	fāguāng	glowing
饭	fàn	cooked rice
翻	fān	to turn
房	fáng	room
放	fàng	to put, to let out
放入	fàng rù	put into a
放在	fàng zài	put on
房间	fángjiān	room

方面	fāngmiàn	aspect, side
放弃	fàngqì	to give up, surrender
放晴	fàngqíng	clear up
放松	fàngsōng	relax
发生	fāshēng	occur
发送	fāsòng	send
发现	fāxiàn	find
飞	fēi	to fly
非常	fēicháng	very much
风	fēng	wind
分钟	fēnzhōng	minute
佛	fó	buddha
佛教	fójiào	buddhism
佛教徒	fójiào tú	buddhist
妇人	fùrén	woman
斧头	fǔtóu	ax
负责	fùzé	be responsible for
该	gāi	ought to
敢	gǎn	to dare
赶	gǎn	to chase away
感 (到)	gǎn (dào)	to feel
感动	gǎndòng	moving
刚到	gāng dào	just arrived
刚刚	gānggāng	just
干净	gānjìng	clean
感谢	gǎnxiè	to thank
高	gāo	tall, high
告诉	gàosù	to tell
高兴	gāoxìng	happy
个	gè	(measure word, generic)

歌	gē	song
哥哥	gēge	older brother
给	gěi	to give
跟	gēn	with, to follow
根	gēn	(measure word for long thin things)
更 (多)	gèng (duō)	more
更好	gèng hǎo	better
歌声	gēshēng	singing sound
个子	gèzi	height (human), build (human)
宫 (殿)	gong (diàn)	palace
攻击	gōngjí	attack
工人	gōngrén	worker
工作	gōngzuò	work, job
狗	gǒu	dog
鼓	gǔ	drum
挂	guà	hang
关	guān	to turn off
光	guāng	light
关系	guānxì	relationship
关于	guānyú	about
跪	guì	kneel
规则	guīzé	rule
贵重	guìzhòng	precious
刽子手	guìzishǒu	executioner
鼓励	gǔlì	encourage
滚	gǔn	roll
过	guò	to pass
国 (家)	guó (jiā)	country
过来	guòlái	to come

过去	guòqù	past, to pass by
国王	guówáng	king
古人	gǔrén	the ancients
故事	gùshì	story
还	hái	also
海	hǎi	ocean, sea
害怕	hàipà	scared
喊 (叫)	hǎn (jiào)	to shout
好	hǎo	good, very
好吧	hǎo ba	ok
好吃	hào chī	delicious
好感	hǎogǎn	good impression
好玩	hǎowán	fun
好像	hǎoxiàng	like
和	hé	and, with
核	hé	pit
河	hé	river
喝	hē	to drink
黑	hēi	black
黑暗	hēi'àn	dark
黑夜	hēiyè	night
很	hěn	very
和尚	héshang	monk
红 (色)	hóng (sè)	red
厚	hòu	thick
后	hòu	rear
猴 (子)	hóu (zi)	monkey
虎	hǔ	tiger
化	huà	to melt
话	huà	word, speak

花	huā	flower
滑倒	huá dǎo	slip
坏	huài	bad
还	huán	to return
黄 (色)	huáng (sè)	yellow
皇帝	huángdì	emperor
荒野	huāngyě	wilderness
画像	huàxiàng	portrait
花园	huāyuán	garden
回	huí	to return
会	huì	will, to be able to
灰	huī	gray, dust
毁 (坏)	huǐ (huài)	to smash, to destroy
回答	huídá	to reply
回头	huítóu	look back
灰土	huītǔ	dust cloud
混合	hùnhé	mix together
活	huó	to live
火	huǒ	fire
或 (者)	huò (zhě)	or
活着	huó zhe	alive
火炬	huǒjù	torch
火盆	huǒpén	brazier
呼吸	hūxī	breathe
几	jǐ	several
记 (住)	jì (zhù)	to remember
假	jiǎ	false
家	jiā	family, home
件	jiàn	(measure word for clothing, matters)

尖	jiān	point, tip
见 (面)	jiàn (miàn)	to see, to meet
检查	jiǎnchá	examination
简单	jiǎndān	simple
讲	jiǎng	to speak
叫	jiào	to call, to yell
角	jiǎo	corner
脚	jiǎo	foot
叫醒	jiào xǐng	to wake someone up
节 (日)	jié (rì)	festival (day)
接住	jiē zhù	catch
街道	jiēdào	street
接管	jiēguǎn	take over
解决	jiějué	to solve, settle, resolve
介绍	jièshào	introduction
结束	jiéshù	end, finish
进	jìn	advance
紧	jǐn	tight, close
斤	jīn	cattie
金 (色)	jīn (sè)	golden
金箍棒	jīn gū bàng	golden hoop
筋斗云	jīndǒu yún	cloud somersault
静	jìng	quiet
经过	jīngguò	after, through
精神	jīngshén	spirit
镜子	jìngzi	mirror
进来	jìnlái	to come in
进入	jìnrù	to enter
今天	jīntiān	today
紧张	jǐnzhāng	nervous, tension

就	jiù	just, right now
救	jiù	to save, to rescue
旧	jiù	old
酒	jiǔ	wine, liquor
就像	jiù xiàng	just like
舅舅	jiùjiu	maternal uncle
继续	jìxù	to continue
举	jǔ	to lift
嚼	jué	to chew
觉得	juédé	to feel
决定	juédìng	to decide
绝望	juéwàng	despair, hopelessness
鞠躬	jūgōng	to bow down
拒绝	jùjué	refuse
举行	jǔxíng	to hold
咖啡色	kāfēisè	brown
开	kāi	to open
开始	kāishǐ	to start
开玩笑	kāiwánxiào	to make joke
开心	kāixīn	happy
看	kàn	to look
砍	kǎn	to cut
砍掉	kǎn diào	to cut off
可怜	kělián	pathetic
可能	kěnéng	maybe
可怕	kěpà	frightening
可以	kěyǐ	can
空	kōng	air, void, emptiness
叩	kòu	knock
口	kǒu	mouth

口	kǒu	(measure word for people in villages, families)
叩头	kòutóu	kowtow
苦	kǔ	bitter
哭	kū	to cry
快	kuài	fast
块	kuài	(measure word for chunks, pieces)
捆	kǔn	bundle
困惑	kùnhuò	confused
拉	lā	to pull
来	lái	to come
老	lǎo	old
老虎	lǎohǔ	tiger
了	le	(indicates completion)
雷	léi	thunder
累	lèi	tired
雷电	léidiàn	lightning
冷	lěng	cold
离	lí	from, away
力	lì	force
里 (面)	lǐ (miàn)	inside
俩	liǎ	both
脸	liǎn	face
辆	liàng	(measure word for vehicles)
两	liǎng	two
了解	liáojiě	to understand
裂缝	lièfèng	crack
离开	líkāi	go away
力量	lìliàng	power
铃	líng	small bell

另	lìng	another
邻居	línjū	neighbor
流	liú	flow
留	liú	to stay
六	liù	six
流出	liúchū	to pour out
礼物	lǐwù	gift
礼仪	lǐyí	etiquette
龙	lóng	dragon
路	lù	road
鹿	lù	deer
绿 (色)	lǜ (sè)	green
旅途	lǚtú	journey
吗	ma	(indicates a question)
马	mǎ	horse
麻烦	máfan	trouble
买	mǎi	to buy
妈妈	māma	mother
慢	màn	slow
满	mǎn	full
忙	máng	busy
满意	mǎnyì	satisfy
毛	máo	hair
猫	māo	cat
马上	mǎshàng	right away
没	méi	not
每	měi	each
美	měi	nice
美丽	měilì	beautiful
们	men	(indicates plural)

门	mén	door, gate
梦	mèng	dream
门口	ménkǒu	doorway
米	mǐ	meter
面前	miànqián	before
庙	miào	temple
灭	miè	extinguish
秘密	mìmi	secret
名 (字)	míng (zì)	name
明白	míngbai	to understand
明亮	míngliàng	bright
命令	mìnglìng	command
明天	míngtiān	tomorrow
魔 (法)	mó (fǎ)	magic
魔鬼	móguǐ	devil
魔力	mólì	magic power
母	mǔ	female (animal)
木 (头)	mù (tou)	wood
木板	mùbǎn	plank, board
木鱼	mùyú	wooden fish
拿	ná	to take
那	nà	that
那儿	nà'er	there
那里	nàlǐ	there
哪里	nǎlǐ	where
那么	nàme	then
南	nán	south
难	nán	difficult
难闻	nán wén	unpleasant smell
男孩	nánhái	boy

那样	nàyàng	that way
呢	ne	(indicates question)
能	néng	can
你	nǐ	you
年	nián	year
念	niàn	to read
念佛	niànfó	to practice Buddhism
念经	niànjīng	chanting
年轻	niánqīng	young
尿	niào	urine
鸟	niǎo	bird
您	nín	you (respectful)
农夫	nóngfū	farmer
农田	nóngtián	farmland
暖	nuǎn	warm
奴隶	núlì	slave
努力	nǔlì	work hard
哦	ó, ò	oh?, oh!
爬	pá	to climb
怕	pà	afraid
旁 (边)	páng (biān)	beside
跑	pǎo	to run
朋友	péngyǒu	friend
皮	pí	leather, skin
骗 (术)	piàn (shù)	to trick
漂	piāo	to drift
飘	piāo	to flutter
漂亮	piàoliang	beautiful
仆人	púrén	servant
菩萨	púsà	bodhisattva, buddha

旗	qí	flag
气	qì	gas
七	qī	seven
漆	qī	paint
前	qián	front, before
钱	qián	money
千	qiān	thousand
签 (署)	qiān (shǔ)	sign
墙	qiáng	wall
强 (大)	qiáng (dà)	strong, powerful
敲	qiāo	to knock
起床	qǐchuáng	to get out of bed
祈祷	qídǎo	prayer
奇怪	qíguài	strange
起来	qǐlái	(after verb, indicates start of an action)
请	qǐng	please
清	qīng	clear
清楚	qīngchǔ	clear
请求	qǐngqiú	request
亲戚	qīnqi	relative
其他	qítā	other
求	qiú	to beg
其中	qízhōng	among them
旗子	qízi	flag
去	qù	go
拳	quán	fist
拳头	quántóu	fist
取出	qǔchū	take out
确保	quèbǎo	make sure

群	qún	group or cluster
让	ràng	to let, to cause
然后	ránhòu	then
人	rén	person, people
认出	rèn chū	to recognize
扔	rēng	to throw
仍然	réngrán	still
任何	rènhé	any
人间	rénjiān	human world
人群	rénqún	crowd
认识	rènshí	to understand
认为	rènwéi	to believe
日子	rìzi	day, days of life
容易	róngyì	easy
入	rù	enter
如果	rúguǒ	if, in case
散	sàn	scattered
三	sān	three
散步	sànbù	take a walk
色	sè	(indicates color)
僧 (人)	sēng (rén)	monk
森林	sēnlín	forest
杀	shā	to kill
扇	shàn	(measure word for windows, doors)
上	shàng	on, up
上床	shàngchuáng	go to bed
伤害	shānghài	to hurt
上空	shàngkōng	over the sky
烧	shāo	to burn

深	shēn	deep
神 (仙)	shén (xiān)	spirit, god
生	shēng	to give birth
圣 (人)	shèng (rén)	saint, holy sage
声 (音)	shēng (yīn)	sound
生活	shēnghuó	life, to live
生命	shēngmìng	life
生气	shēngqì	angry
生意	shēngyì	business
绳子	shéngzi	rope
什么	shénme	what?
身体	shēntǐ	body
十	shí	ten
时	shí	time, moment, period
市	shì	city
是	shì	yes
试	shì	to try
诗 (歌)	shī (gē)	poetry
事 (情)	shì (qing)	thing
石 (头)	shí (tou)	stone
食 (物)	shí (wù)	food
失败	shībài	failure
士兵	shìbīng	soldier
师父	shīfu	master
时候	shíhòu	time, moment, period
时间	shíjiān	time, period
瘦	shòu	thin
手	shǒu	hand
首	shǒu	(measure word)
受到	shòudào	suffer, receive

手指	shǒuzhǐ	finger
数	shù	number
数	shǔ	to count
输	shū	to lose
双	shuāng	a pair
谁	shuí	who
睡	shuì	to sleep
水	shuǐ	water
水果	shuǐguǒ	fruit
睡觉	shuìjiào	to go to bed
树木	shùmù	trees
说 (话)	shuō (huà)	to speak
说真话	shuō zhēn huà	tell the truth
四	sì	four
死	sǐ	dead
寺 (庙)	sì (miào)	temple
丝绸	sīchóu	silk cloth
送 (给)	sòng (gěi)	to send
碎	suì	to break up
碎布	suì bù	rags
所以	suǒyǐ	so, therefore
所有	suǒyǒu	all
素食	sùshí	vegetarian food
塔	tǎ	tower
他	tā	he, him
她	tā	she, her
它	tā	it
太	tài	too
抬头	táitóu	to look up
太阳	tàiyáng	sunlight

谈	tán	to talk
汤	tāng	soup
逃跑	táopǎo	to run away
桃子	táozi	peach
逃走	táozǒu	escape
特别	tèbié	special
踢	tī	to kick
天	tiān	sky, day
天上	tiān shàng	heaven, on the sky
天边	tiānbiān	horizon
天气	tiānqì	weather
条	tiáo	(measure word for narrow, flexible things)
跳	tiào	to jump
跳舞	tiàowǔ	to dance
铁	tiě	iron
停	tíng	stop
听	tīng	to listen
听说	tīng shuō	it is said that
停留	tíngliú	stay
停止	tíngzhǐ	stop
梯子	tīzi	ladder
同	tóng	same
桶	tǒng	barrel, bucket
通	tōng	through
同时	tóngshí	in the meantime
同意	tóngyì	to agree
头	tóu	head
偷	tōu	to steal
头发	tóufà	hair

头脑	tóunǎo	mind
吐	tǔ	to spit out
土	tǔ	dirt, earth
徒弟	túdì	apprentice
土地	tǔdì	land
腿	tuǐ	leg
推	tuī	to push
推开	tuī kāi	push away
突然	túrán	suddenly
外	wài	outside
玩	wán	to play
万	wàn	ten thousand
晚	wǎn	late, night
万物	wàn wù	everything
完成	wánchéng	to complete
王	wáng	king
王宫	wánggōng	royal palace
王国	wángguó	kingdom
王后	wánghòu	queen
忘记	wàngjì	forget
王子	wángzǐ	prince
晚上	wǎnshàng	at night
围	wéi	encircle, surround
为	wèi	for
位	wèi	(measure word for people (polite))
尾 (巴)	wěi (bā)	tail
伟大	wěidà	great
味道	wèidào	taste
为了	wèile	in order to

为什么	wèishénme	why
危险	wēixiǎn	danger
委员会	wěiyuánhuì	committee
问	wèn	to ask
闻 (到)	wén (dào)	to smell
问好	wènhǎo	say hello
温暖	wēnnuǎn	warm
文书	wénshū	written document
问题	wèntí	question, problem
握	wò	grip
我	wǒ	I, me
悟	wù	understanding
雾	wù	fog
五	wǔ	five
蜈蚣	wúgōng	centipede
西	xī	west
下	xià	under
吓坏	xià huài	frightened
下雨	xià yǔ	to rain
仙	xiān	immortal, celestial being
先	xiān	first
像	xiàng	like, to resemble
向	xiàng	towards
响	xiǎng	loud
想	xiǎng	to want, to miss, to think of
香	xiāng	fragrant, incense
向前	xiàng qián	forward
乡村	xiāngcūn	rural
想到	xiǎngdào	to think
香火	xiānghuǒ	incense

香蕉	xiāngjiāo	banana
想起	xiǎngqǐ	to recall
向上	xiàngshàng	upwards
享受	xiǎngshòu	enjoy
相信	xiāngxìn	to believe, to trust
箱子	xiāngzi	box
陷阱	xiànjǐng	trap
陷阱	xiànjǐng	trap
先生	xiānshēng	mister
现在	xiànzài	just now
笑	xiào	to laugh
小	xiǎo	small
小车	xiǎochē	cart
小山	xiǎoshān	hill
小偷	xiǎotōu	thief
小心	xiǎoxīn	careful
些	xiē	some
谢谢	xièxie	thank you
喜欢	xǐhuān	like
新	xīn	new
心想	xīn xiǎng	thought
行	xíng	okay
行	xíng	to travel
醒 (来)	xǐng (lái)	to wake up
形成	xíngchéng	form
星宿	xīngsù	constellation
行走	xíngzǒu	walk
兄弟	xiōngdì	brothers
蟋蟀	xīshuài	cricket
修	xiū	to repair

休息	xiūxi	to rest
希望	xīwàng	to hope
选	xuǎn	to select
宣布	xuānbù	announce
许多	xǔduō	many
雪	xuě	snow
血	xuè, xuě	blood
虚弱	xūruò	weak
需要	xūyào	to need
眼 (睛)	yǎn (jīng)	eye
羊	yáng	goat or sheep
痒	yǎng	itch
样子	yàngzi	to look like, appearance
宴会	yànhuì	banquet
淹没	yānmò	to flood
沿着	yánzhe	along
摇	yáo	to shake
要	yào	to want
咬	yǎo	to bite, to sting
妖怪	yāoguài	monster
邀请	yāoqǐng	to invite
要求	yāoqiú	to request
也	yě	also, too
液体	yètǐ	liquid
夜晚	yèwǎn	night
一	yī	one
衣 (服)	yī (fu)	clothes
以为	yǐ wéi	think
一下	yí xià	a bit
一般	yìbān	generally

一定	yídìng	for sure
已经	yǐjīng	already
赢	yíng	to win
应该	yīnggāi	should
因为	yīnwèi	because
音乐	yīnyuè	music
一起	yìqǐ	together
意思	yìsi	meaning
一样	yíyàng	same
一直	yìzhí	always, continuously
椅子	yǐzi	chair
用	yòng	to use
游	yóu	tour
又	yòu	also
右	yòu	right
有	yǒu	have
游走	yóu zǒu	wander
有点	yǒudiǎn	a little bit
游人	yóurén	traveler
玉	yù	jade
雨	yǔ	rain
遇 (到)	yù (dào)	encounter, meet
圆	yuán	round
远	yuǎn	far
愿意	yuànyì	willing
院子	yuànzi	courtyard
月	yuè	moon
越来越	yuè lái yuè	more and more
云	yún	cloud
运气	yùnqì	luck

砸	zá	smash
再	zài	again
在	zài	in, at
脏	zāng	dirty
造	zào	to make
造成	zàochéng	cause
早上	zǎoshàng	morning
怎么	zěnme	how
眨	zhǎ	blink
站	zhàn	to stand
长	zhǎng	to grow
张	zhāng	(measure word for pages, flat objects)
章	zhāng	chapter
长老	zhǎnglǎo	elder
照	zhào	according to
找	zhǎo	to search for
照亮	zhào liàng	illuminate
找到	zhǎodào	found
照顾	zhàogù	to take care of
着	zhe	with
这	zhè	this
这么	zhème	so
阵	zhèn	(measure word for short-duration events)
真 (的)	zhēn (de)	really!
正 (在)	zhèng (zài)	(-ing)
正要	zhèng yào	about to
整个	zhěnggè	entire
证人	zhèngrén	witness
这样	zhèyàng	such

直	zhí	straight
只	zhǐ	only
指	zhǐ	to point at
纸	zhǐ	paper
只	zhī	(measure word for animals)
之	zhī	of
直到	zhídào	until
知道	zhīdào	know
指甲	zhǐjiǎ	fingernail
之前	zhīqián	prior to
至少	zhìshǎo	at least
只要	zhǐyào	as long as
重	zhòng	heavy
种	zhǒng	(measure word for kinds of creatures, things, plants)
中	zhōng	in, middle
住	zhù	to live, to hold
猪	zhū	pig
抓 (住)	zhuā (zhù)	to arrest, to grab
转	zhuǎn	to turn
庄稼	zhuāngjia	crops
转身	zhuǎnshēn	turn around
准备	zhǔnbèi	ready
桌 (子)	zhuō (zi)	table
主意	zhǔyì	idea
字	zì	written character
自己	zìjǐ	oneself
仔细	zǐxì	careful
自信	zìxìn	confidence
总是	zǒng shì	always

走	zǒu	to go, to walk
走近	zǒu jìn	to approach
足够	zúgòu	enough
最	zuì	the most
嘴	zuǐ	mouth
最后	zuìhòu	at last
罪行	zuìxíng	crime
尊 (敬)	zūn (jìng)	respect
座	zuò	(measure word for mountains, temples, big houses, ...)
做	zuò	to do
坐	zuò	to sit
左	zuǒ	left
做成	zuò chéng	made
昨天	zuótiān	yesterday
阻止	zǔzhǐ	to stop

About the Authors

Jeff Pepper (author) is President and CEO of Imagin8 Press, and has written dozens of books about Chinese language and culture. Over his thirty-five year career he has founded and led several successful computer software firms, including one that became a publicly traded company. He's authored two software related books and was awarded three U.S. patents.

Dr. Xiao Hui Wang (translator), has an M.S. in Information Science, an M.D. in Medicine, a Ph.D. in Neurobiology and Neuroscience, and 25 years experience in academic and clinical research. She has taught Chinese for over 10 years and has extensive experience in translating Chinese to English and English to Chinese.

Printed in Great Britain
by Amazon